TMD와 수복치의학
TMD and Restorative Dentistry

Terry T. Tanaka 지음

안창영, 강동완 옮김

군자출판사

지은이

Terry T. Tanaka, D.D.S.

Clinical Professor, Graduate Prosthodontics
Formerly Director, Facial Pain Clinic
University of Southern California School of Dentistry
Private Practice, Chula Vista, California.

옮긴이

안창영

대한치과턱관절기능교합학회 회장 / 안창영 치과

강동완

조선대학교 치과대학 10대 학장 / 조선대학교 치과대학 보철과 교수

TMD와 수복치의학
TMD and Restorative Dentistry

첫째판 1쇄 인쇄 | 2005년 11월 20일
첫째판 1쇄 발행 | 2005년 11월 25일

지 은 이   Terry T. Tanaka
옮 긴 이   안창영, 강동완
발 행 인   장주연
편집디자인   박혜영
표지디자인   고경선
발 행 처   군자출판사
등   록   제 4-139호(1991. 6. 24)

본   사   (110-717) 서울특별시 종로구 인의동 112-1 동원회관 BD 3층
            Tel. (02) 762-9194/5   Fax. (02) 764-0209
대 구 지 점   Tel. (053) 428-2748   Fax. (053) 428-2749
부 산 지 점   Tel. (051) 893-8989   Fax. (051) 893-8986

ISBN 89-7089-683-X

정가 60,000원

통증 장애와 교합 문제로 고생하는 환자들을 접하는 치과의사들에게 이 책을 바칩니다. 교합에 문제점이 있을 때 TMD와 parafuction이 일차적인 원인요소라는 것을 사람들은 잘 인식하지 못합니다. 6판에서 나는 이러한 관계를 가능한 한 직설적인 방법으로 제시하려고 시도했습니다.

진단이 가장 중요하며, 몇 가지 기본적인 규칙은 항상 적용될 것입니다. "귀기울여 들어라"는 말을 기억하십시오. 왜냐하면 환자들은 진단명이 무엇인지 이미 당신에게 말하고 있을 것이기 때문입니다. "환자를 주의 깊게 관찰하라"는 것도 기억하십시오. 왜냐하면 환자의 치열은 진단명이 무엇인지 당신에게 보여주고 있을 것이기 때문입니다. 가장 중요한 점은 당신이 환자를 대할 때 당신의 어머니를 대할 때와 같은 이해심과 동정심을 가지고 대하라는 것입니다. 의사가 받은 최고의 선물은 다른 사람을 도와주고 있다는 것입니다.

"잘 살펴보라. 준비된 자만이 기회를 잡을 수 있다."

Louis Pasteur

머리말

    머리와 얼굴은 인간 활동에서 가장 중요한 핵심부분이다. 얼굴은 말과 표정을 통해서 의사소통을 하는 주요한 매개수단이다. 지각, 음식물 섭취, 호흡, 사랑을 느끼고 행동으로 옮기는 등 이렇게 인간의 머리와 얼굴은 우리의 내면으로 열려있는 세계를 향한 창문이 된다. 머리는 많은 기능들을 담고 있는 복잡한 구조들로 가득 차있는 반면, 목은 머리를 떠받치고 정확히 움직이게 하기 위해, 또한 두뇌와 신체사이의 의사소통을 위해 섬세한 구조로 되어있다. 이런 기능의 복잡성이 신체적인 질병으로부터 기인되거나 마음의 질병으로부터 또는 두 가지 모두에서부터 기인되는 일반적이고도 아주 다양한 종류의 질병들에 반영된다는 것은 놀라운 일이 아니다. 이러한 질병들은 대개 머리, 목, 그리고 턱관절의 통증으로 나타나게 되며 해부학적이나 심리학적으로 복잡하게 얽혀있기 때문에 많은 의학은 지적이고 협력적인 접근을 필요로 한다.

James S. Grisolia, M.D.

Chula Vista, California

지은이 소개

Dr. Tanaka는 1962년 University of Southern California 치과대학을 졸업했다. 그는 미국 해군에서 2년간의 보철과 의사로서 치과의사 생활을 시작했다. 그는 Chula Xista, California에서 계속적으로 활동했으며, Dr. Peter K. Thomas와 함께 Full-Mouth Waxing과 Advanced Remount Course를 가르쳤다.

그는 Jaw Tracking, Gnathological Instrumentation, Reconstructive Dentistry에 관한 주제로 수많은 임상논문과 연구논문을 발표했다. 그는 TMJ 해부학과 방사선학에 있어서 여러 해 동안 주요한 연구자 중의 한 명이며, 두경부와 TMJ 동통에 대한 그의 논리적이고 일반적인 접근법이 널리 알려져 있다.

그의 최근 연구 관심사와 논문들은 임플란트에 있어서 TMJ 해부학, 교합, 보철 재건술, 해부학적 고려사항에 집중되어 있다.

교수이자 연구자로서 널리 존경받는 그는 USC School of Dentistry에서 teaching awards를 받았으며 또한 세계적으로 행해지고 있는 그의 계속적인 교육에 대한 헌신으로 1991년 저명한 "Award of Distiction"을 Academy of Dentistry International로부터 받았다.

그는 미국 내의 University of California, San Diego School of Medicine에서, 그리고 일본과 이탈리아와 같이 해외에서도 TMD와 수복치의학에 대해 가르치고 있다. 현재 그는 Sourthern California School of Dentistry에서 보철과 대학원에서 임상 교수로 재직 중이며, California의 Chula Vista에서 보철 재건 치료만을 하는 개인치과를 운영하고 있다.

옮긴이의 글

현대의 과학은 눈에 보이지 않는 먼 우주를 탐험할 수 있을 정도로 고도화되어가고, 생명의 병리현상과 치료기술을 밝히고자 유전자 기술을 제공하고 있지만, 구강악계인 교합의 문제점을 진단하고 치료하는 데 아직도 확실한 메시지를 전해주지 못하고 있습니다.

지난 2년 간 대한치과턱관절기능교합학회의 초청으로 교합연수회를 진행해 주신 다나카 선생의 〈TMD and Restorative Dentistry〉라는 책을 접하면서 가장 기본적이고 이 분야에 새로운 시각을 열어줄 것으로 기대하여 역서를 출판하고자 합니다. 무릇 책이란 저자의 '평생의 지식과 경험' 이 어우러진 것인데 누에가 뽕잎을 먹고 비단실을 내놓듯이 치과의사들이 애호하는 책을 출간하는 것은 쉬운 일은 아닐 것입니다.

이러한 점에서 다나카 선생의 글은 간결하면서 교합에 관한 의문에 대해 새로운 이해를 전달해 주고 있습니다. 지식이란 끊임없이 변하고 있지만, 새로운 시각을 가져보는 것은 동일한 지식영역에서도 새롭게 깨닫는 기회를 제공할 수 있으리라 생각합니다.

끝으로 프랑스 시인 마르셀 푸르트스의 **참된 발견은 새로운 땅을 발견하는 것이 아니고 새로운 눈으로 보는 것**이라는 시를 보면서 교합치료에 대한 참된 발견도 새로운 시각에서 출발된다는 점을 이해하시기를 기대합니다.

2005년 11월
대한치과턱관절기능교합학회 회장 **안 창 영**
조선대학교 치과대학 10대 학장 **강 동 완**

차례

Chapter 1   입문 • 1

Chapter 2   일반적인 신체검사: 증례병력 • 5

Chapter 3   정보 서신을 위한 질문 • 19

Chapter 4   근육 생리학과 기능 • 29

Chapter 5   치과의사를 위한 동통 관리 • 37

Chapter 6   뇌신경 평가 • 45

Chapter 7   두통 • 55

Chapter 8   동통의 정신학적 측면 • 59

Chapter 9   측두하악관절 기능장애와 연관된 이학적(otologic) 이상의 감별진단 • 67

Chapter 10   측두하악관절 기능장애와 혼동되기 쉬운 안면 동통 장애 • 77

Chapter 11   측두하악관절의 내장증
             (Internal Derangement of the Temporomandibular joint) • 83

Chapter 12   측두하악관절의 관절운동학 • 89

Chapter 13   관절염질환의 감별진단을 위한 이론적 접근 • 101

Chapter 14   류머티스학 • 109

Chapter 15   측두하악관절의 방사선학과 영상화 • 113

Chapter 16   기초적인 Splint 치료법 • 127

Chapter 17   약리학 • 143

Chapter 18   두경부와 측두하악관절 통증조절을 위한 물리치료요법 • 151

Chapter 19   측두하악관절경술과 관절경 수술-비외과의사들의 측면 • 157

Chapter 20   임플란트 치과의사를 위한 해부학 • 161

Chapter 21   List of frequency used ICD-9-CM codes and procedure (CPT) codes • 167

Chapter 22   마모된 치열의 처치법(Management of the Worn Dentition) • 169

Chapter 23   The Two-Step Occlusion과 the rule of Thirds • 181

Chapter 24   교합과 중심위의 원칙 • 189

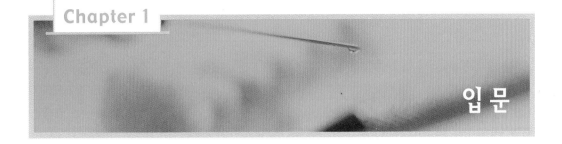

입문

치의학은 무엇인가?

'치의학은 하나의 과학이 아니라, 수많은 과학에 깊이 근거하며 인간의 이익을 위해 활용되어야 하는 숙달된 전문분야이다.' 또한, 다른 사람의 이익을 위해 맡겨진 인간의 행동이라고 말할 수도 있다. 치의학은 과학만큼이나 예술을 포함하고 있고 지식만큼이나 이해를 갖고 있는 실제 서비스 직업이다. 치과치료는 과학적 원리와 기술보다 훨씬 그 이상이다. 치의학과 보건 전문분야의 가장 주된 관심은 환자이다.

환자

우리는 비록 환자를 단순한 도움을 필요로 하는 동료 인간으로 설명할 수 있지만, 일반적으로 상당히 다른 특징이 존재한다. 동통의 정도, 혹은 이웃이나 친구에 의한 심리적 강화의 정도에 따라 다양한 단계로 불안이 존재한다. 환자는 '있을지도 모르는 암, 종양, 의기소침으로 고통' 과 같은 불행한 상황을 이미 마음에 그리고 있을지도 모른다. 환자의 조용한 기질이 우울증의 무의식적인 징후의 한 부분인가, 아니면 당신이 돌보기 때문에 자신의 말을 듣고 자신을 이해할 것이라는 조용한 확신의 반영인가?

주소와 진단을 추출해 내는 것에 급급하여, 보건 전문가들은 때때로 환자가 기대하는 것들에 대한 견해를 놓치게 된다. 환자의 기대는 특별히 아픔이 있거나 고통 받는 환자에서 특히 독특하다. 저자는 우리가 그런 것들을 숙달하는데 성공하기 위하여, 당신이 고려해야 할 부분에 대해서 열거하였다.

환자는 자기의 말을 듣고 이해해 주기를 원한다. 유명한 영국의 신경외과의사인 Wilfred Trotter는 "훌륭한 의사를 기르고, 훌륭한 의사가 되기 위해서 인간의 능력 중 어떤 면이 필요한가? 첫째로 거론하는 것은 환자의 말에 끼어들지 않고 전심을 다해 항상 주의를 기울여주는 능력임에 틀림없다. 간단하게 들릴지 모르지만, 오직 가장 훌륭한 의사만이 이 점을 달성할 수 있다." 라고 했다.

환자는 인간적으로 그들에게 관심을 갖는 보건 전문가를 원한다. 환자는 간호사가 자기를 근관, 쓸

개, 두통, 측두하악장애 환자 등과 같이 생명과 관계없는 치료과정이나 신체 기관으로 취급하여 말하는 것을 듣는다면 화가 날 것이다.

환자는 전문가적인 능력을 기대한다. 환자는 당신이 박식하고, 연구의 영역에 최신의 새로운 것에 대해 정통하기를 기대한다. 연민은 치료할 것을 아는 지식에 대한 대용품이 될 수 없다.

환자는 의사가 자신에게 계속 알려주기를 원한다. 의사는 환자에게 그들의 징후의 중요성과 그것이 의미하는 바를 알려주어야 한다. 잠정적인 진단과 인상은 전혀 언급하지 않는 것보다 낫다.

환자는 버려지기를 원하지 않는다. 몇 년 전에 나는 내 사랑스러운 아내로부터 표현의 진정한 의미를 배웠다. "우리는 우리가 할 수 있는 최선을 다하고 있습니다." 그 표현은 그의 죽어가는 어머니의 치료 상황에서 사용되었다. 의사가 그가 더 이상 할 것이 없다고 느낄 때가 왔다. 나는 처음으로 환자의 측두하악관절에서 이형성형물 매식체의 제거와 여러 다른 수술을 하고도, 계속되는 안면 동통, 목 동통, 전신 루프스와 비슷한 전신 증상을 보이는 환차를 처음 보게 되었다. 의뢰할 곳이 아무도 없을 때, 그리고 환자는 동통을 해결하기 위한 약물 중독의 단계에 이르고 자살을 생각하고 있을 때, 의사의 돌보는 역할은 치료하는 역할이상으로 더 크다.

서문

　본서에 제기된 의과적/치과적 동통 모델은 17년 넘게 지도자로서 일해왔던 캘리포니아 대학, 샌 디애고 메디칼 센터, 측두하악관절 안면 동통 클리닉에 있는 Terry T. Tanaka 박사와 스텝 요원들에 의해 연구된 개념이다. 그것은 또한 남부캘리포니아 대학 측두하악관절 안면 동통 클리닉에서 성공적으로 사용되었다.

　집단적 접근이 동통 클리닉에서 강조되었지만, 이 동통 모델은 개인의 보건 전문가에 의해 매우 효과적으로 사용될 수 있다.

　본서는 남부 캘리포니아 치과대학의 학부생과 대학원생을 위해 원래 제작되었다. 보건 전문가들에게 수복적인 문제뿐만 아니라, 머리, 목, 측두하악관절의 동통 장애를 정확하게 진단하고 효과적으로 치료하는데 필요한 정보를 제공하도록 설계되었다.

　성공적인 수복 치과학은 주의 깊고 사려 깊은 계획과 숙련된 솜씨의 결과로만 이루어질 수 있다. 신체적으로 혹은 정신적으로 유발되건 간에, 측두하악장애는 이런 복잡한 환자를 성공적으로 진단하고 다루는 우리의 능력에 영향을 미칠 수 있고, 영향을 미칠 것이다.

　독자에게 치과의사와 보건 전문가로서 우리의 목적은 필연적 특수한 기술이 아닌 환자의 행복에 초점을 맞추는 것이라고 인상을 주는 데 책이 기여하기를 바란다. 수복 치과의사가 치료할 때와 치료하지 않을 때에 관한 건전한 결정을 내리기 위해서 인체에 동통을 일으키는 원인을 정확히 이해하는 것은 필수적이다. '치료하기로' 결정을 했을 때 많은 다른 결정이 내려져야 한다. 본서를 통해 논의되고 발전되는 이런 '의사 결정 계통(decision tree)' 에서 뒤따르는 일련의 순서가 있다.

　나는 당신이 그것이 지식을 밝혀주고 유용하다는 것을 발견하기를 바란다. 그것은 수 년 동안 나의 임상과 다른 성공적인 수복 치과의사와 보철전문가의 기반이 되어왔다.

Chapter 2

일반적인 신체검사: 증례병력

동통이란 무엇인가? 동통 자체는 병이 아니다. 그것은 실존일 수도 상상에 의한 것일 수도 있다. 질병의 증상이나 기능적 장애, 또는 단지 무언가 잘못되고 있다는 경고일 수도 있다. 비록 신체적 원인은 검사자에게 확실하게 입증되지 않을 수 있지만, 모든 동통은 환자에게 실존한다고 이해하는 것이 중요하다.

당신의 환자가 다쳤을 때, 그들은 고통을 느낀다. 그리고 고통을 느낄 때 그들의 고통은 특정한 동통의 행태를 통해 표현된다. 환자와 동통에 대해 면담할 때 우리가 정말로 보고 있는 것은, 대부분 선행하는 경험이나 가능성 있는 재강화에 의해 미리 조절된 동통에 대한 행태다. 그러므로 임상가가 동통의 행태를 인식하는 것뿐만 아니라 동통의 원인을 인지하고 치료하는 것은 필수적이다. 더욱이 숙련된 전문가는 동통의 위치와 동통의 근원 간에 차이를 감별할 수 있어야만 한다.

내 관찰로는 동통의 대부분이 자기도입적이거나 자초하는 현상이며, 측두하악동통의 90%이상은 예방할 수 있거나 환자의 조절 하에 놓을 수 있다.

매년 수백만불이 새로운 동통 완화제의 연구와 개발에 쓰인다. 그럼에도 불구하고 동통과 그 영향은 의료서비스, 병원 비용, 치료약물, 작업 생산 감소에 대하여 미국인에게 수 십 억불이 소요될 것이다. 동통은 사람들이 의과적인 치과적인 치료를 받는 이유 중 일 순위의 원인이다.

인간의 고통이라는 관점에서 비용은 더 중요하다. 머리, 목, 측두안면관절의 동통장애의 경우에 대부분의 환자들은 오진되었고, 따라서 잘못 치료되었다. 이러한 동통장애의 해결은 부적절한 장기간의 발리움, 항우울제, 마약성 약제, 스플린트 요법의 부적절한 사용, 그리고 많은 불필요한 측두하악관절의 수술 등으로 혼합되고 복잡해졌다.

동통 장애를 갖는 환자를 부적절하게 다루는 또 다른 주요한 원인은 우리가 습득한 지식을 부적절하게 적용해왔기 때문이다. 이러한 원인은 의과대학생, 치과대학생, 내과의사, 치과의사 다른 보건관련 종사자에게 동통장애 환자의 관리에 대한 통합되고 조직화된 교육, 특성화된 발전적인 성향이 부족하기 때문이다. 이런 분화되고 특별한 접근은 매우 좁은 범위에서 동통 장애를 보는데 도움이 된다. 불행하게도 우리는 우리가 보도록 수련 받은 부분만을 보게 된다.

급성동통장애는 손쉽게 진단되고 쉽게 치료에 반응한다. 그러나 동통이 만성이 될 때, 심리적인 요소가 동통의 반응에 영향을 미치기 시작하고 환자는 동통의 원인과 관련되지 않은 동통반응을 나타낼지도 모른다. 이러한 동통 행위는 주의 깊은 평가, 성공적으로 관리되는 배려와 이해가 요구된다. 임상가가 이런 심리학적 요소를 고려하는 의자가 없다면, 동통장애를 불완전하게 해소할 수도 있고, 다른 의원성 문제를 초래할 수도 있다.

따라서 이런 문제의 열쇠는 동통의 공식을 구성하는 많은 요소들을 인식하고 이해하는 능력이라는 것을 아는 것이 중요하다.

이 장의 목적은 동통해소 공식의 가장 중요한 요소 중 하나를 다루는 것이다 : 포괄적이고 정확한 진단.

정확한 치료계획이 세워지는 포괄적이고 정확한 진단은 동통장애의 성공적인 관리에 기초가 되어야 한다. 이러한 동통 장애에 대한 정확한 진단에 도달하기 위하여 필요한 정보를 얻는 방법은 표준 치과 검진에 사용되는 방법에서부터 상당히 다양하다. 이러한 정보를 위한 일차적인 단계는 증례 병력, 즉 환자 문진과 신체검사이다.

증례 병력

증례병력은 머리, 목, 측두하악관절 동통장애의 진단을 위해 절대 필요한 정보이다. 그것은 발병, 경과, 동통장애의 관리에 대해 귀중한 정보와 통찰력을 제공하고, 적절하게 취해진다면 신체검사를 위한 중대한 지침을 제공해 줄 수 있기 때문에 중요하다.

치과에서 증례병력으로부터의 정보가 진단과 치료계획을 세우는데 필요한 관련된 정보의 단지 적은 부분을 기여한다는 것을 느낄 때, 증례병력의 중요성은 명백히 나타난다. 정보의 약 98퍼센트는 환자의 구상내 임상검사에서 올 것이다. 그러나 머리, 목, 측두하악관절 동통을 가진 환사에 대해서는 증례병력이 진단을 위해 필요한 정보의 80-90 퍼센트를 제공하고, 단지 10-20 퍼센트가 실질적인 신체검사에서 올 것이다.

환자 병력의 필수적인 요소는: 주소(chief complaint), 동통의 양상, 발병 일시, 장애의 지속시간과 진행 정도, 그리고 이전의 치료이다. 환자가 머리, 목, 측두하악관절 동통장애로 안면동통클리닉이나 내 사무실에 예약을 요청하면 표준화된 치료 전 환자 설문지와 문서를 보낸다. 완성된 설문지와 질문된 정보는 그들이 처음 내원 3-5일 전에 돌아온다. 환자를 보기 전에 이러한 정보를 갖는 것은 의사가 방사선 사진, 검사실결과, 석고모형 그리고 다른 이전의 치료자와 접촉하는데 시간을 가질 수 있게 한다. 환자에게 모든 질문에 자필로 대답할 것 것을 요구한다.

정보 설문지에 대한 질문은 환자가 다음 사항을 답변하도록 한다.

1. 주소 (Chief Complaint) - 당신의 문제는 무엇입니까? 1,2,3,4로 나열하시오.

2. 동통이나 문제의 발생(Onset of pain or problem) - 언제 당신의 문제가 발생했습니까?

3. 동통이나 문제의 묘사(Description of the pain or problem) - 날카롭고 찌르는 동통 아니면 무디고 아픈 동통?

4. 문제의 진행(Progression of the problem) - 점진적으로, 갑작스럽게, 더 나빠지고 있습니까?

5. 당신의 문제로 누구를 찾아간 적이 있습니까(Who have you seen for your doctor)? - 환자가 찾아간 모든 내과의사, 치과의사, 치료사, 다른 치료목적으로 찾아간 모든 사람의 이름, 주소, 전화번호를 적으시오. 당신이나 당신의 직원이 전화번호부를 찾아서 그들의 번호를 알 필요가 없도록 한다. 만약 환자가 6-7 군데의 건강 전문가를 이미 찾아가 보았다면, 당신의 이름도 그 리스트에 추가하는 위협을 무릅쓰기보다 그를 동통 센터에 보내는 것이 현명할 것입니다.

6. 그들은 벌써 어떤 치료를 받았습니까(What treatment have they already received)? - 그들 자신의 표현으로 얼마나 효과적이었습니까? 치료하는 의사와 환자가 치료의 성공에 대해 논의하는 데 거의 동의하지 않는다는 것은 흥미로운 일이다. 아마도 그것은 그 환자가 당신의 치료실로 오게 된 이유이다. 만약 이전의 치료가 성공적이었다면, 그 환자는 당신의 도움을 필요로 하지 않을 것이다. 환자가 추적조사(follow-up) 치료를 위해 돌아오지 않는다면, 그들이 치료되었다고 가정하는 것은 잘못된 것이다. 아마도 대부분, 그들은 다른 사람을 찾아 가버렸을 것이다. 모든 당신의 동통환자의 리스트를 유지하고 그들의 상태를 점검하기 위해 주기적으로 그들을 부르도록 해라.

만약 당신이 주의 깊게 듣는다면, 환자는 당신에게 진단이 무엇인지 말해줄 것이다. 환자가 동통을 어떻게 묘사하는가? 환자가 그들의 동통을 묘사하기 위해 사용하는 형용사들은 동통의 근원이 어디 있는지에 대해 가르쳐 줄 것이다:

a. 혈관성(Vascular): '고동치는, 둥둥 울리는, 일정한, 계속되는'

b. 신경성(Neurogenic): '날카로운, 칼로 찌르는, 쏘는, 따끔따끔 아픈, 얼얼한, 감각이 마비된, 발작이 생기는'

c. 근골격성(Mucoskeletal): '둔한, 쑤시는, 쓰린, 누르는, 꼭 끼는, 단단히 쥔'

d. 복합성(Combinations): 위에서 언급한 것들 [1]의 복합

만약 환자가 '고문하는', ' 죽을 것 같은 동통', '피부가 얼굴에서 찢어지고 있어요' 같은 표현을 사용한다면, 당신은 동통 반응에 대해 강한 심리적인 요소가 있다는 것을 의심해야 한다. 정보를 위한 질문 편지는 환자가 복용 중이거나 복용해 왔던 모든 약물의 목록을 물어보아야 한다. 약물의 목록은 관찰자에게 이전 치료자가 환자의 동통장애에 대해 느꼈던 것에 대해 좋은 정보를 제공해준다. 예를 들

어서 바리움(Valium)이나 리브리움(Librium)과 같은 신경안정제를 처방했거나 누군가가 Tagamet(궤양치료제)을 처방했거나 thorazine, stellazine, mellaril, haldol과 같은 다른 항우울제나 항진정제를 처방했다면, Thorazine과 다른 항정신제의 전형적인 부작용 중의 하나는 지발성 운동장애(구강악안면 운동장애), 비자발적, 지속적인 혀의 말림 또는 전방운동, 또는 입술의 오므림이다 [2]. 이런 환자는 신경외과 전문의에게 의뢰해야만 한다.

모든 방사선 사진과 검사실 결과 사본을 얻어야 하는 책임 또한 환자에게 있다. 이러한 정보를 찾는 데 있어 검사 전 작업의 대부분을 환자가 해야 하는 이유는 세 가지가 있다.

첫째, 협조도를 높이고 환자가 협조적인지 판단하기 위해서이다. 필요한 기록을 얻는데 협조적이지 않은 환자들은 보통 당신의 치료추천방법을 잘 따르지 않거나 약속을 잘 지키지 않는 사람들이다. 이런 환자는 또한 당신의 치료실에 '요술총알' 이나 '기적의 치료' 가 있기를 바라고 오는 사람들이다. 그러나 그들 자신의 동통장애를 돌보기 위해서 참여하려고 하지 않는다. 그들 자신의 치료에 참여하려 하지 않는 환자들에게는 매우 안좋은 결과가 기대될 수 있다.

순응하지 않는 만성 동통환자는 좋아지기를 원하지 않거나 소송에 말려드는 일이 매우 잦다는 것이 관찰되었다. 흥미로운 연구에 따르면 소송에 휘말린 환자들은 소송이 없는 환자보다 치료하는데 더 오래 걸린다고 보고하고 있다.

둘째, 당신이 정보를 주의 깊게 관찰할 수 있기 위해서, 그리고 이전에 치료한 의사와 당신이 전화통화를 할 수 있기 위해서이다.

셋째, 미리 정보를 얻음으로써, 당신은 장황한 상담 약속에 대한 필요를 줄일 수 있다. 당신은 귀중한 상담시간을 물어보는데 사용할 필요가 없다. "그리고 나서, 당신은 누구를 보았죠? 그의 주소는 뭐지요? 등등". 이러한 정보를 환자약속 이전에 읽어봄으로 당신은 당신에게 필요한 일반적인 정보를 얻을 수 있고, 의뢰 방문 시 이전 치료의사에 의한 특별한 조치나 치료에 대해 물어볼 수 있다. 의뢰 약속은 문서상의 환자 병력으로 기록된 내용을 명확하게 하고, TMJ 검사를 포함한 전반적인 신체검사를 완성하는데 사용되어야 한다.

건강 병력

건강 병력은 당신에게 환자에 대해 유능하게 검사하기 위해서 알 필요가 있는 것을 말해주는 정보의 유기화된 본체이다. 그것은 환자의 '이야기' 이다. 그것은 당신의 평가를 위한 주관적인 기본자료를 제공하고, 신체검사로부터 얻어진 객관적인 자료와 함께 통합될 것이다.

당신 자신의 성향과 견해는 이러한 평가의 부분이 되어서는 안된다. 이상적인 건강 병력은 독자에게 환자에 대한 많은 부분을 말해주고, 좋은 문진자가 되는데 필요한 기술을 습득한 검사자에게는 아무 도움도 안된다. 철저한 건강병력은 보통 진단을 세우기 위해 필요한 정보의 80퍼센트를 제공할 것이다. 이 중요한 건강병력정보는 당신이 실제적인 환자의 신체검사를 구성하는데 지침을 줄 것이다. 대부분의 증례에서, 신체검사는 건강병력으로부터 얻는 예비진단을 확실하게 해 줄 것이다.

　머리, 목, 측두하악관절에 영향을 미치는 동통장애를 평가하는데 있어서 다섯 가지의 기본기술이 개발되어야 한다. 그것은 다음과 같다.

　1. 듣기의 기술
　2. 관찰의 기술
　3. 근육 촉진기술
　4. 청진기로 청진
　5. 관절운동학과 관절 하중의 평가

　환자의 주소(chief complaints)와 주소를 표현하는데 사용된 형용사의 중요성을 이해하는 것은 당신이 연관된 몸체에 초점을 맞출 뿐만 아니라, 기능장애의 가능한 원인에 초점을 맞추도록 해 줄 것이다.

　훌륭한 면담자는 항상 주의 깊게 듣고 동정과 열정을 갖고 건강병력을 통해 환자를 유도한다. 명심할 것은 비록 당신의 과거 편견, 경험, 개인적 가치가 진단과 치료결정에 영향을 미치려 할지라도, 당신은 모든 건강 치료관계의 기본이 되는 환자의 믿음과 확신을 개발하기 위해 객관적으로 유지해야만 한다. 이런 관계를 세우는 가장 좋은 방법은 그의 생각과 장래가 당신에게 중요하다고 환자와 상호 교감을 갖는 것이다.

환자 면담

1. 당신이 실제 환자와 면담과 신체검사를 시작하기 전에 문서로 된 환자 병력과 방사선 사진을 읽는다.

2. 환자의 주소(C.C)를 나열하고 그것들을 환자 자신의 용어로 적는다. 중요한 사항은 강조하기 위해 표시를 해놓는다.

3. 혈압 커프, 청진기, 자, 구강 미러로 잘 조직화하여 면담에 임한다.

4. 환자에게 주의를 집중하라. 전화를 받지 말고 다른 사람에게 방해받지 말아라.

5. 전문가적인 태도로 임하라. 필기를 하고 있지 않을 때에는 환자와 눈을 맞추라. 환자의 마음상태와 말투뿐만 아니라 신체상태도 관찰해라.

6. 개인적인 판단을 피하라. 그리고 열린 마음을 유지해라.

7. 효과적으로 경청하라. 당신의 환자의 관점에 민감하라. 그리고 적절하게 대답하라. 다른 이전의 환자와 의사의 논쟁에 대하여 편들지 말아라.

8. 병력자료를 정확하게 기록하라.

"P Q R S T"[3]

P   Provocative(유발물)/Palliative(완화제) : 어떤 것이 증상을 야기시키는가? 어떤 것이 증상을 완화시키는가? 어떤 것이 증상을 악화시키는가?

Q   Quality(질)/Quantity(양) : 증상이 어떻게 느껴지고 보이고 들리는가?

R   Region(장소)/Radiation(방사) : 동통이 어디에 있는가? 동통이 어떻게 퍼져나가는가?

S   Severity Scale(심한 정도) : 증상이 활동을 방해하는가? 심한 정도 1-10; 또는 VAS(Visual Analog Scale) scale?

T   Timing(시간) : 언제 증상이 시작되는가? 얼마나 자주 일어나는가? 갑작스럽게 나타나는가 점차적으로 나타나는가?

환자 면담과 일반적인 신체검사

대부분의 경우에 신체검사는 환자병력으로부터 얻은 예비진단을 확증시킬 것이다. 관찰자가 주관적인 증상(symptom)보다는 가능하면 객관적인 징후(sign)에 진단을 기초로 하는 것이 중요하다.

증상은 무언가 잘못되고 있다는 신호이다.

증상과 징후는 다르다. 증상은 환자가 느끼는 것이다. 징후는 의사가 보거나 측정할 수 있는 것이다. 좋은 예는 멀미이다. 멀미를 한 사람은 구역질이 나려 하고, 현기증이 나고, 졸음이 오는 것을 느낀다. 이것은 증상이다. 징후는 피부가 푸르고 창백한 색조를 보이고, 식은 땀이 나고 구토를 하고 호흡의 깊이와 빈도가 증가하는 것이다.

대부분 두통의 증상은 환자가 의사에게 말하는 동통이다. 징후는 혈압의 상승, 측두부의 고동치는 동맥, 긴장된 안면과 목의 근육, 비대한 교근과, 작업측 치아 섭촉의 교합석인 이상기능으로 인한 심한 견치의 마모이다.

성공적인 환자 면담의 열쇠는 환자를 주의 깊게 관찰하고 환자가 말하는 것을 잘 듣는데 있다.

환자를 주의 깊게 관찰한다면, 질환의 임상적 징후를 발견할 수도 있다는 점은 잘 알려져 있다. 효율적으로 듣는다면, 환자는 특이한 형용사를 사용함으로써 진단이 무엇인지 관찰자에게 알려줄 것이다. 예를 들면 혈관성 장애는 '박동치는, 때리는, 계속되는' 동통으로 묘사되고, 신경성 장애는 '날카로운, 칼로 찌르는, 감각이 무딘, 타는, 따끔따끔 아픈' 것으로 묘사되고, 근골격성장애는 '무딘 아픈, 조이는, 쑤시는' 동통으로 묘사된다. 환자에게 부담을 느끼게 하지 않고 "그렇다" 또는 "아니다" 라고 대답할 기회를 제공하기 위해서, 질문은 간단하게 구성되어야 한다.

　환자 면담의 목적은 환자를 인간으로 알고 이해하는 동안에 동통 장애의 원인과 병력에 대해 가능한 많은 것을 배우는 것이다. 성공적인 상담가는 환자가 자신의 이야기를 하는 동시에 조심스럽게 질문을 유도한다. 검사자는 상담의 조절을 유지할 필요가 있다. 그렇지 않으면 정작 필요한 문제와 관련되지 않은 엉뚱한 대화로 빠질 수 있다.

　신체검사를 시작하기 전에 환자의 신임을 얻는 것은 중요하다. 그렇지 않으면 환자는 당신의 검사 과정과 동기에 대해 의심을 하기 시작할 것이다

　환자가 의사소통하는데 어려움이 없는 한 검사가 끝날 때까지 보호자나 친척은 검사실로 들어오게 해서는 안 된다. 아내에게 구타를 하는 남편은 검사를 위해 아내와 함께 들어오려고 항상 요구한다. 만약 얼굴이나 몸에 외상이 의심된다면 보조자와 환자 혼자 평가할 수 있도록 하라. 그리고 나서 남편을 검사실로 불러들여라. 때때로 필자는 환자를 간호사와 남겨놓고 남편을 다른 검사실에서 상담을 한다. 환자는 다른 여자와 개인적인 일로 대화하는데 더 편안함을 느끼게 된다.

　모든 환자는 독특하고 질문에 약간 다른 방식으로 접근을 해야 하는 반면, 어떤 정보는 직설적인 질문으로 얻어야만 한다. 환자가 모든 사항에 대해 모든 것이 잘 정돈되고 정리되어 있다고 기대하지 말라. 임상가는 부지런하게 훈련하여 이런 병력 대화기술을 개발해야만 한다. 최종 진단에도 불구하고, 환자가 주로 관심을 두고 있는 부분에 비록 나중에 엉뚱한 것으로 판명될지라도 특별한 주의를 기울여야 한다[4]. .

전반적인 신체검사 : 의사가 환자와 만날 때

　전반적인 신체검사는 대합실에서 환자에게 악수를 청할 때, 조용히 환자를 맞음으로 시작되어야 한다. 이 때 정형외과적 검사가 시작된다. 악수는 관절이 관련되기 때문에 골관절염이나 류마토이드 관절염으로 환자가 고생하는지 신속히 판단할 수 있게 한다. 원심 수간 관절(Distal interphalangeal joint: DIP) 은 골관절염(Osteoarthritis: OA), metacarpal bone과 손목은 류마토이드 관절염(Rheumatoid Arthritis: RA)과 관련되어 있다. 콜라겐 장애를 갖고 있는 환자는 손가락이 차갑고 사지말단의 피부온도가 낮다. 어떤 사람은 손톱에 작은 구멍들이 있다 (건선: psoriasis). 악수는 '두 사람이 만날 때' , 숙련된 관찰자에게 사교적인 인사 그 이상의 의미가 있는 것이다[5,6,7].

　환자가 응접실에서 검사실로 걸어 들어오는 것을 관찰하라. 걸음 보조기구가 필요한 경우인가? 한쪽 다리가 다른 쪽보다 불편하지는 않은가? 걸음새가 안정적인가? 걸을 때 양호한 일반적인 자세와 머리, 목 자세를 유지하고 있고, 신체를 계속적으로 떨거나 움직이지 않고 그대로 서 있을 수 있는가?[8,9]

　환자가 검사 의자에 앉을 때 소개하는 동안 유심히 관찰하라. 그리고 편안하게 앉도록 하라. 얼굴의 한쪽이나 목에서 다른 부위에 걸쳐 어떤 근육의 비대나 위축이 있는지 관찰하라. 얼굴, 특히 턱 부위의 비대칭은 있는가? 하악의 휴지 시 편향이 있으면 과두의 높이가 감소된 부위에 선천적이거나 후천적

인 관절염 상태임이 확실할 것이다. 불균일한 머리와 신체의 움직임, 불수의적인 경련을 기록하고, 머리와 목 부위의 마비된 부분이나 얼굴근육의 감각이상을 인지하라. 또한 발음이 분명치 않은지도 기록하라. 이러한 징후는 신경학적인 문제를 나타낸다.

신체검사는 혈압, 맥박수도 평가해야 한다. 고혈압 상태의 환자는 검사할 때 말단부를 유지하고 관찰하는 능력이 감소한다. Inderal (고혈압 약제) 은 또한 혀운동장애를 일으키는 것으로 알려져 있다.

뇌신경반사와 반응이 검사되어야 한다. 그리고 모든 결손은 기록되어야 한다. 혈관이나 신경의 합병증을 다룰 때 신경외과의사나 내과의사에게 빨리 의뢰가 이루어져야 한다.

머리위치와 머리 자세는 매우 중요하고 기록되어야 한다. 왜냐하면 그것이 휴지(rest) 시 하악의 위치와 교합접촉위치에 영향을 주기 때문이다. 안 좋은 목의 자세나 머리를 '앞으로 숙이는' 자세는 목과 후두하부의 동통과 기능장애를 초래한다. 특히 근육기원의 장애를 초래할 수 있다.

관절 부하 검사는 과두와 디스크의 상태를 규정하기 때문에 매우 중요하다. 디스크가 변위되었는지 아닌지 검사자에게 알려줄 것이다. 디스크가 변위되어있다면 관절부하 검사는 디스크후방 조직이 저작이나 양손조작 부하와 같은 기능적 부하를 지지하기에 충분히 건강한지 알려줄 것이다.

근육 검사는 얼굴과 목의 근육의 구강 내와 구강 외 촉진으로 시행되며, 나중에 논의될 것이다

신체검사는 개구량의 평가로 이어져야 한다. 환자가 하악을 좌측에서 우측으로 움직일 때 제한이 있는지 기록하라. 40-45mm의 개구량은 정상으로 간주된다. 만약 환자가 6mm 수직피개를 갖고 있다면 35-40mm 의 절치간 개구량은 정상으로 여겨진다. 왜냐하면 환자는 치아가 절단연대 절단연(edge to edge) 위치로 가기 전에 6mm를 벌려야 하기 때문이다.

머리의 위치는 매우 중요하다. 왜냐하면 휴지 시 하악의 위치와 교합접촉 위치에 영향을 미치기 때문이다. 부적절한 목 머리 자세나, 머리를 '앞으로 숙이는' 자세는 보통 근육 기시부와 후두 동맥, 신경, 정맥의 압박으로 목과 후두부의 동통과 기능장애를 일으킬 수 있다.

경추는 세 가지 기능을 갖고 있다. 1) 머리에 지지와 안정을 제공한다. 2) 관절운동하는 척추의 면은 머리의 운동범위를 결정한다. 3) 척수와 척추의 동맥에 대한 덮개와 통로를 제공한다.

부적절한 머리위치는 긴장, 근육 경직, 이환된 근육의 국소적인 동통을 동반한 경부 근육의 경련, 머리와 얼굴의 다른 부분의 연관통을 야기시킬 수 있다. 이런 연관통은 보통 두통으로 표현되며 상악동과 귀의 동통과 혼동된다.

치과의사에 의한 신체검사는 다음을 포함해야 한다 :

1. (환자를 마주대하면서) 정면에서 머리의 위치의 평가, 그리고 측면에서, 환자를 측면에서 볼 때 어깨너머로 귀가 위치해야 한다.
2. 목의 굴곡 동안 운동범위의 평가- 환자가 그의 턱을 자신의 가슴에 댈 수 있는가? 목의 신전 환자가 그의 목을 뒤로 젖혀서 천장을 볼 수 있는가? 목의 좌우측 회전- 각 측면으로 이동하는데 한계

가 있는가? 양측면으로 구부리기- 환자가 귀를 어깨에 대는데 측면으로 그의 머리를 얼마나 구부
릴 수 있는가?

동통이 있든 없든 심각한 운동의 제한과 한계가 있으면 정밀 검사와 치료를 위해 신경외과의사나 물
리치료사에게 의뢰해야 한다.

측두하악관절 관절운동학(TMJ arthrokinematics) : 회전(rotation)/활주(translation)

초기 회전은 주로 하부관절부위에서 내측극 주위로 일어난다. 다음 운동은 하부관절 부분의 회전과
상부관절부와 외측극 주위에서 일어나는 활주의 조합이다. 초기 회전운동은 개구 시 처음 10~15㎜ 동
안 하악의 개구를 허용한다. 이 회전 운동은 과두 최상방부와 하부관절 부분의 관절원판 아래면과의
미끄러지는 운동의 결과를 발생한다. 개구시 처음 0~15㎜ 동안에 들리는 관절음은 주로 이런 구조로
부터 기원한다고 이해된다. 이런 관절음은 초기에 개구 시 관절음이 발생하는 환자를 평가할 때 대부
분 확실하다. 이런 관절음은 외측극에서 디스크 변이의 결과이다.

활주는 보통 관절원판의 윗면과 관절융기의 아랫면 사이와 과두의 외측극 주위로 미끄러지는 운동
을 포함한다. 초기의 개구-회전시기 이후에 들리는 관절음은 주로 상부관절부분으로부터 기원하는 것
으로 이해된다.

1) 과두와 관절원판의 아래면 사이에서 하부관절부분, 2) 디스크의 위쪽 부분과 관절융기의 아래면
사이의 상부관절 부분에 있어서, 유착(adhesion)이 일어날 수도 있다. 하부 관절 부분의 유착은 회전
운동을 방해할 것이나 과두의 와(fossa) 내 활주는 허용할 것이다. 상부 관절 부분의 유착은 정상적인
활주를 허용하지 않고 이환된 부분의 제한된 개구만 될 것이다.

과운동(hypermobility), 비정상적 하악 역학, 근육의 과민, 관절원판과 관절구조의 불리한 하중은 내
장증(internal derangement)과 하악 기능장애의 주요 원인으로 보인다. 비정상적 역학은 다음에 의해
야기될 수 있다.

1. 초기 이동으로 결과되는 부적절한 혀의 위치
2. 근육의 부조화
3. 부적절한 개구 폐구 역학(회전과 활주)
4. 이상기능

과운동의 치료

치료는 혀를 입 천장의 추벽(rugae)으로 올리는 물리치료를 포함해야 한다. 다음은 물리치료의 예이다 : 환자에게 혀를 구개추벽 아래에 놓게 하고 부드럽게 입을 열어서 15~20㎜의 경첩운동이 일어나도록 한다. 그리고 나서 혀를 위로하고 입을 다물게 한다. 운동을 10회 반복한다. 그리고 20초 휴식을 취한다. 10회 반복하여 혀를 올리는 연습을 반복한다. 환자는 처음 60일 동안에 하루에 20~30세트를 할 필요가 있다. 이 운동의 목적은 환자가 혀를 위로한 채로 개구 시 턱 끝을 앞으로 돌출시키지 않으면서 경첩운동을 하여 개구하도록 훈련하는 것이다.

요약

요약하면, 두경부 및 측두하악관절의 동통은 거의 나뉘어져서 발생하지 않고 내장증과 근육통이 복합되어 대부분 주로 발생한다. 겹쳐지는 증상은 통찰력 있는 검사자를 혼동시켜서는 안된다. 검사자는 몇 가지 나뉘어진 진단을 세울 수 있어야 하고, 각 동통 장애를 제거하는 치료를 개발해야 한다. 치과의사가 하나만 또는 전부다 포함된 진단을 발견하려고 시도할 때 문제는 발생한다. 그리고 모든 문제에 대해 단지한 개의 치료나 한 개의 스플린트를 쓸 때 문제가 발생하는 것이다.

포괄적인 전반적 신체 검사는 다음을 포함한다:

· 검사 전 완전한 환자정보
· 정확하고 포괄적인 증례병력
· 뇌신경 검사
· 물리 약물, 물리치료, 머리 목 자세의 역학 이해를 통해 포함된 근육기능과 기능장애의 이해
· 관절음과 하악 운동의 중요성의 이해
· 과두(condyle)-와(fossa) 관계와 병리의 정확한 방사선학적 해석
· 완벽한 치과 검사

참고문헌

1. Alling, C.C. and Mahan, P. E., Editors, Facial Pain, Second Ed., Lea & Febiger, Philadelphia, 1977.
2. West, J. B., Physiological Basics of Medical Practice, 11th Ed., 1985, Williams and Wilkins Publishers, p.1186.
3. UCSD School of Medicine.

4. Wiederholt, Wigbert, MD, University of California, School of Medicine, Pain Management Seminars, 1984-92.

5. Weisman, M., "Rheumatology for Dentists", UCSD School of Medicine, Pain Management Conference, 1991.

6. Beeson and McDermott, Textbook of Medicine, Philadelphia, Saunders, 1971. p. 176-88.

7. Beery, J. F., Rheumatology and Outpatient Orthopedic Disorders, Boston, Little Brown and Co., p. 47-56.

8. Beeson and McDermott, p. 176-88.

9. Beery, J.F., p. 47-56.

10. Beery, J.F., p. 47-56.

11. Beeson and McDermott, p. 176-88.

12. Ausband, J.R., Ear, Nose and Throat Disorders, New York, Medical Examination Publishing Co. Inc., p. 169-71.

13. Krupp, M.A., et al, Physicians Handbook, Los Angeles, Lange Medical Publications, 1979, p. 40-59.

14. Krupp, M.A., et al, p. 40-59.

15. Ausband, J.R., 169-171.

측두하악 관절 기능과 기능장애

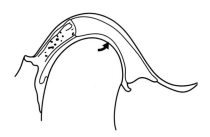

그림 2-1. 회전운동은 과두의 윗면과 디스크의 아랫면 사이의 하부관절 부분에서 주로 일어난다. 이런 운동은 과두의 내측극 주위로 일어난다. 회전운동이 활주운동으로 진행되면서 과두가 하방으로 위치하는 점을 주시하라.

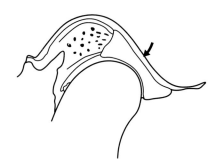

그림 2-2. 활주운동은 주로 디스크의 상부표면과 관절융기의 아래 표면 사이의 상부관절 부분에서 주로 일어난다. 이런 운동은 과두의 외측극 주위로 일어난다.
적절한 회전운동이 처음에 일어나지 않는다면, 개구 주기는 전방활주운동으로 시작한다는 점이 중요하다.

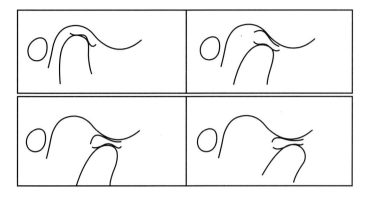

그림 2-3. 개구 운동 동안 정상적인 과두-디스크의 관계

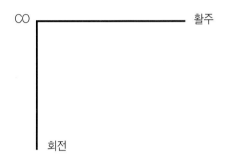

CO   활주

회전

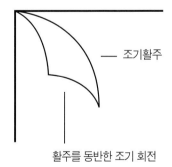

— 조기활주

활주를 동반한 조기 회전

그림 2-4. 개구 생역학

임상 검사 형식

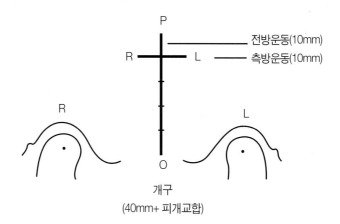

전방운동(10mm)

측방운동(10mm)

개구

(40mm+ 피개교합)

그림 2-5

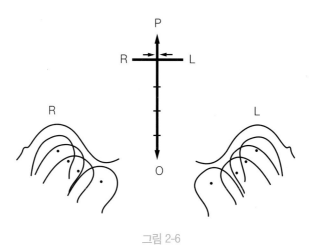

그림 2-6

Chapter 3

정보 서신을 위한 질문

당신의 상태에 대한 진단과 치료에 있어 최적의 처치를 제공하기 위해, 모든 필요한 정보를 우리에게 제공하는 당신의 협조가 필요합니다. 가능한 정확하고 남김없이 동봉된 형식을 완성해 주십시오, 그리고 가능한 즉시 우리에게 돌려보내 주십시오.

서신을 보내주십시오 :　　당신의 이름

당신 주소

1234 avenue

도시이름, CA 91910

1. 환자 설문지 형태의 모든 질문에 답해주시고 당신의 다음 번 내원 전에 저희 사무실로 보내주십시오.
2. 당신의 장애/동통이 시작한 때, 어떻게 병이 진행되었는지, 치료를 받기 위해 만난 사람들을 적절한 날짜로 연대기 순의 병력을 손으로 써서 보내주십시오.
3. 이 문제에 대해 당신이 만난 모든 내과의사, 치과의사, 물리치료사, 그 밖의 보건 전문가에 대하여 주소와 전화번호의 목록을 완성해서 보내주십시오. 당신이 아는 범위 내에서 받았던 모든 치료와 이런 치료의 효과에 대해 간단하게 서술하시오.
4. 당신이 지금 복용하는 모든 약물, 과거에 복용했던 약물, 어떤 이유로 인해 처방되었던 약물들 모두를 열거하시오.
5. 다른 치료실이나 기관에서 방사선 사진이나 검사실 검사를 했다면, 그것들을 알려주고, 다음 내원 전까지 저희 치료실로 방사선 사진과 검사실 결과를 보내주십시오.

위의 정보 모두가 예약일정 이전에 보내진다면, 우리는 당신의 문제를 좀더 철저히 연구하고 평가할 수 있을 것입니다. 당신의 협조는 우리를 당신 상태에 대한 좀 더 정확한 진단과 치료에 도달할 수 있도록 도와줄 것입니다.

다나카 치과
212 Church Avenue Chula Vista, CA 91910
619/420-8696

환자 설문지

날짜 _____
이름 _____
주소 _____
도시 _____ 주 _____ 우편번호 _____
의뢰된 곳 _____

나이 _____ 생일 _____
전화번호 : 집 _____
직장 _____

다음 각각 모두를 체크하시오.

(2) 성별
___ 남자
___ 여자

(3) 인종
___ 코카시안
___ 아프리카 아메리칸
___ 히스패닉/라티노
___ 아시아, 태평양, 섬
___ 기타

(4) 결혼 상황
___ 미혼
___ 기혼
___ 별거, 이혼
___ 과부, 홀아비

(5) 직업 _____

당신 자신의 자필로 적으시오.

6. 주소: 당신의 동통과 문제의 본질은 무엇입니까?(두통, 귀앓이, 등등)

a.
b.
c.
d.

7. 당신의 동통 장애를 묘사하시오.

8. 언제 처음으로 당신이 문제나 통증이 있다는 것을 발견했습니까?
발병일자
갑자기 발생했습니까? 점차적으로? _____

9. 통증의 기간
일정하게 고통을 느낍니까? _____ 정기적으로? _____ 언제? _____

10. 어떻게 문제가 진행됩니까? _____

11. 이런 문제의 치료를 위해 당신이 만났던 모든 보건 전문가의 이름을 연대기적으로 열거하시오.

날짜	이름	주소	전화번호
1. _____ to _____			
2. _____ to _____			
3. _____ to _____			
4. _____ to _____			
5. _____ to _____			
6. _____ to _____			

12. 당신이 이 문제로 지금 복용하고 있는 또는 복용했던 모든 약물을 열거하시오.

날짜	복용했던 약 이름	누가 처방 했습니까?
1. _____ to _____		
2. _____ to _____		
3. _____ to _____		
4. _____ to _____		
5. _____ to _____		
6. _____ to _____		

환자 설문지 페이지 2
이름 _____ 생년월일 _____

다음 질문에 예 또는 아니오로 대답하시오.

예   아니오

14. ___ 과거에 당신은 악관절 방사선 사진을 찍은 적이 있습니까? 만약 있다면 방문하기 전에 저희에게로 보내주십시오.
15. ___ 스플린트나, 바이트 플레이트 또는 장치를 끼고 있거나 낀 적이 있습니까?
16. ___ 교합이 안 좋아서 치료 받은 적이 있습니까?
17. ___ 교정 치료를 받은 적이 있습니까? ___ 부터 ___ 까지
18. ___ 평범하지 않은 치과 교정성 보철물이 구강 내에 있습니까?
19. ___ 상실한 치아가 있습니까?
20. ___ 가철성 국소의치를 끼고 있습니까? ___ 좋이치를 끼고 있습니까? ___
21. ___ 악관절 장애나 안면 근육 통증으로 치료 받은 적이 있습니까?
22. ___ 치아나 턱이 인식으로 잠을 깬 적 있습니까?
23. ___ 주간에 이를 갈고 있다는 것을 느낍니까?
24. ___ 자는 동안 이를 간다고 들은 적이 있습니까?
25. ___ 치아가 저작으로 손상당해 있습니까?
26. ___ 눈, 귀, 신체의 다른 부분 주위로 통증이 있지 않습니까?
27. ___ 긴장성 두통이 있습니까?
28. ___ 우발적인 두통이 있습니까?
29. ___ 편두통이 있습니까?
30. ___ 자주 목이나 어깨가 뻣뻣하거나 목이 이프지는 않습니까?
31. ___ 턱근육이 자주 피로해집니까?
32. ___ 입을 크게 벌리는데 어려움이 있습니까?
33. ___ 관절염이 있습니까?
34. ___ 가족이나 친척이 관절염이나 통풍이 있습니까?
35. ___ 사고가 난적 있습니까? 교통사고? 기타
36. ___ 머리나 턱 부분을 심하게 맞은 적이 있습니까?
37. ___ 현재 소송과 연관되어 있습니까?
38. ___ 악관절에 통증이 있었습니까?
39. ___ 축두하악관절 수술을 받은 적이 있습니까? ___ 날짜: ___

40. _____ 듣는데 어려움이 있습니까?

41. _____ 귀가 윙윙거리거나 소리가 변화되는 것 같은 귀에 이상은 없습니까?

42. _____ 현기증이 있습니까?

43. _____ 식사, 노래부르기, 하품 이후에 악관절에 동통이 있습니까?

44. _____ 악관절에서 귀에 거슬리는 소리가 납니까?

45. _____ 악관절에서 딱딱 거리는 소리나 '딱' 하는 소리가 나는 것을 들은 적이 있습니까?

46. _____ 악관절이나 근육에 현재 동통이 있습니까?

47. _____ 악관절의 동통이나 불편감이 직장업이나 다른 활동을 방해합니까?

48. _____ 이런 문제나 동통이 완전히 감소하거나 사라졌다는 것을 인지할 때가 있습니까? 언제 그러한 것을 느낍니까? _____

49. _____ 의기소침함을 느낍니까?

50. _____ 치료를 위해 신경정신과 의사를 찾아간 적 있습니까?

51. _____ 자는데 어려움이 있습니까?

52. _____ 상당량의 스트레스를 받고 있습니까? 직업, 가족, 사회적, 학교?

53. _____ 하루에 한 번 이상 알코올성 음료를 마십니까?

54. _____ 담배를 핍니까?

55. _____ 손톱, 혀, 입술을 물어뜯습니까?

56. _____ 당신의 동통이 스트레스와 관련되었다고 느낍니까?

다나카 치과
212 Church Avenue
Chula Vista, CA 91910
619/420-8696

임상검사

환자 _____

전화번호: 집 _____ 직장 _____ 날짜 _____

생년월일 _____ 나이 _____ 키 _____ 몸무게 _____

의뢰의사 이름 _____ 전화번호 _____

예 아니오

56. ___ ___ 혈압이 높은가? 날짜 _____ 키 _____ 몸무게 _____

57. ___ ___ 맥박이 높은가? 날짜 _____

58. ___ ___ 뇌신경 반사 반응

59. ___ 측두하악 관절 잡음

측두하악 관절 잡음
a) 관절음 (왼쪽, 오른쪽) b) 거대관절음 (왼쪽, 오른쪽) c) 염발음 (왼쪽, 오른쪽) d) 왕복성 관절음 (왼쪽, 오른쪽)

60. ___ 근육촉진 검사에 대한 뻣뻣함 또는 이픔

구강외 촉진

왼쪽 오른쪽 측두근: 전 중 후
왼쪽 오른쪽 측두하악관절(측두관절낭)
왼쪽 오른쪽 교근-심부
왼쪽 오른쪽 교근-전부
왼쪽 오른쪽 악이복근-후복-전복
왼쪽 오른쪽 흉쇄유돌근
왼쪽 오른쪽 두개골 하부와 승모근 양측
왼쪽 오른쪽 승모근과 상부 등
왼쪽 오른쪽 하악의 후방 변위 시 동통
왼쪽 오른쪽 과두의 수직 하중 시 동통
왼쪽 오른쪽 이하선
왼쪽 오른쪽 목과 어깨의 뒤쪽

전방운동
오른쪽 _____ | 왼쪽
개구 시

구강내 촉진
오른쪽   왼쪽   교모-전방 섬유
오른쪽   왼쪽   측두근 근
오른쪽   왼쪽   내측 익돌근, 하방 섬유
오른쪽   왼쪽   내측 익돌근, 상부 섬유
오른쪽   왼쪽   측두근-전-중-후방

61. _____ 이갈이나 이 악물기
62. _____ 뺨의 측면 경계부의 자국
63. _____ 교합면을 따라 협점막의 과각화선
64. _____ 열소-치물쇠 마모면 _____ | 오른쪽 _____ 왼쪽
65. _____ 평향측 교합장애 _____ | 오른쪽 _____ 왼쪽
66. _____ 견치유도 _____ | 오른쪽 _____ 왼쪽
67. _____ 교정학적 분류   골격성   치성
          Class I   Class II div I   Class II div II   Class III   Pseudo Class III
68. _____ 파개교합   전방교합   교차교합 _____ 전방(오른쪽)(왼쪽)   후방(오른쪽)(왼쪽)
69. _____ CR 과 CO 사이의 차이 _____ mm
70. _____ 개구량 _____ mm
71. _____ 개구시 변이   전방 개구 형태
72. _____ 종말감: 부드러운   딱딱한
73. _____ 측방운동   오른쪽 _____ | 왼쪽   똑똑
74. _____ 전방운동   오른쪽 _____ | 왼쪽   왼쪽

임상검사, 2페이지
환자이름 _____

날짜 _____
생일 _____

75. 의학 검사실 검사
　a. Latex fixation _____
　b. ESR　Sed　Rate _____
　c. Uric acid _____
　d. ANA _____
　e. CRP _____
　f. 기타 _____

76. 물리치료 평가
　전반적 자세 _____
　목의 자세 _____
　기타 _____

77. 분무 냉각 스프레이 _____

78. 환자 병력에서 중요한 발견사항
_____
_____
_____

79 방사선 평가
_____
_____
_____
_____

80. 어떤 진단 치료를 했고, 환자는 어떻게 반응했는가?

81. 예비진단

82. 치료 권장사항

83. 의뢰할 곳

84. 의사소통이 요구되는 곳

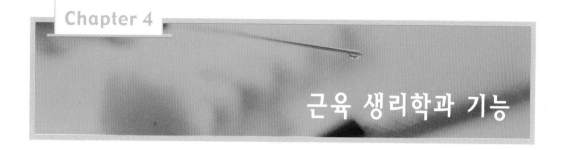

Chapter 4

근육 생리학과 기능

임상 치과의사나 건강 전문가가 근육 조직의 기본 성분과 기능을 이해하는 것은 필수적이다. 이러한 지식을 가지고 촉진이나 운동 검사를 통해 특별한 근육의 상태를 평가할 수 있다. 그런 후에야 기능장애의 정도, 그리고 가장 중요한 기능장애의 원인이 진단되고 적절한 치료가 처방될 수 있다.

근육 생리학

운동 단위

신경근육계의 기본 단위는 운동 단위(motor unit)이다. 이것은 하나의 알파 운동뉴런과 근육 섬유다발로 구성되어 있다. 운동 단위에 포함된 섬유의 숫자는 관련된 활동의 복잡성에 의존한다. 더 정확한 운동이 요구될수록 운동 뉴런당 섬유 수는 줄어든다.

근육 섬유의 세 가지 종류가 있다.
- I형 : 느린 연축, 천천히 수축한다, 피로에 저항한다(즉 외측 익돌근, 주로 70%는 I형으로 느린 연축을 하는 것으로 구성되어 있음).
- IIA형 : 빠른 연축, 빠르게 수축한다, 피로에 저항한다.
- IIB형 : 빠른 연축, 빠르게 수축한다, 쉽게 피로한다(즉, 교근으로 50~60%가 IIB 빠르게 연축하는 "FG" 당분해성 섬유(glycolytic fibers)로 구성되어 있음).

근육 생리학과 기능

측두하악장애는 일차적으로 근육과 관절의 장애로 구성되어 있다. 따라서 보건 전문가들이 근육 생리학과 근육 기능을 기본적으로 이해하는 것이 중요하다. 다음은 측두하악장애와 회복 술식에 관련된 근육 생리학과 기능의 요약이다.
- 저작근은 모두 세 가지 섬유 형태를 갖고 있다.
- 근 수축은 모든 근골격 기능을 위한 힘의 근원이다.

- 강하게 수축하는 힘을 갖고 있는 골격근은 보통 쉽게 피로한다. 이것은 수복 술식을 위해 정확한 하악 위치를 유지하는데 중요하다.
- 안정, 위치 운동은 골격 근육에 의해 결정되고, 중추신경계에 의해 조정된다.
- 근육은 스스로 작동하지 않는다. 그들은 활동을 실행하기 위해 길항적으로 근육에 대해 작동을 한다.
- 길항근(antagonist muscle)은 유용한 운동을 위해 필요한 제어를 하고, 변하는 동작을 만들어내기 위해 동근(動筋)과 반대하여 작동한다.
- 등장성 수축(isotonic contraction)은 근육이 일정한 부하 내에서 수축할 때 발생한다. 따라서 골격의 움직임이 발생한다.
- 등축성 수축(isometric contraction)은 근육이 일정한 근육 길이를 유지하는 동안 수축할 때 발생한다. 따라서 유지하는 활동이 발생한다.
- 근육 장력(muscle tonus)은 스스로 조절한다. 근 방추체 섬유의 긴장은 근육이 수축하도록 야기한다.
- 근육 장력은 두 가지 목적에 기여한다. 근 활동성이 관절 간 음압 하에 관절부위를 유지하도록 해주고, 수축을 위해 준비하는 일정한 상태를 유지한다.
- 근육은 생리학적인 휴지기 길이일 때 힘을 발생하는데 가장 효율적이다
- 근육의 기본 구조와 신경지배는 유전적으로 형성되고 변화에 저항한다.
- 근육은 휴지기 길이에서 새로운 생리적 휴지기 길이를 만들면서 증가한다.
- 이것은 Freeway space나 휴지 시 교합간 거리를 증가시키는 것은 가능하게 한다.
- 근육 내 근섬유분절의 숫자는 4주 내에 20%만큼 증가할 수 있고, 40% 감소할 수도 있다(고양이 실험).
- Freeway space는 2.1㎜이지만 교근과 설골상의 근육에서 최소 근활성도는 여자에서 개구의 6~8㎜에 일어나고, 남자는 10.4㎜에서 발생한다.
- 최대 저작력은 개구 시 9.0~10.0㎜에서 이루어진다.

근육 생리학 : 근육 검사(muscle screening)

공조하는 근육 수축은 모든 근골격 기능을 위한 힘의 주요 근원이다. 비록 근육의 기본 구조와 신경지배는 유전적으로 이루어지고, 변화에 저항한다는 것을 느끼지만, 약간의 근육 길이의 변화에는 잘 적응한다. 특별히 교합의 교합 수직 고경이 증가할 때는 그러하다.

하악과 경추의 안정, 위치, 운동은 골격 근육조직과 신경 충동에 의해 결정된다. 근육은 혼자 활동하지 않고 공조된 동작을 부드럽게 수행하기 위해서 동근과 같이 활동한다는 것을 기억하는 것이 중요하다. Bell은 말하기를 "어떤 특이한 기능도 다른 근육의 협조적이고 반대되는 동작에 대한 고려 없이 하나의 근육에 맡겨질 수 없다."고 했다.

다음은 하악 기능과 기능장애와 관련된 근육 생리학의 요약이다.

· 골격근은 많은 섬유다발로 구성되어 있다.
· 각각의 섬유는 근원섬유로 구성된다. 이런 근원섬유는 단백질로 구성되어 있고, 이는 근조직의 수축과 이완을 책임지고 있다.
· 각각의 근섬유는 섬세한 탄성막에 둘러싸여 있다. 이것은 근섬유막이라 불리고, 근육조직에 탄성을 제공한다.

근육 검사(muscle screening)

머리, 얼굴, 목의 근육을 검사하는 목적은 어느 근육이 근육통을 나타내는지 또는 기능장애에 기여하는지를 평가하는 것이다.

근골격 동통(musculoskeletal pain)은 주로 근육, 건, 인대, 관절로부터 기원된다. '무딘, 쑤시는, 아픈, 조이는, 띠로 묶는 것 같은' 으로 묘사된다. 그것은 머리, 목, 상부어깨, 측두하악관절에 동통의 가장 잦은 원인이다. 동통은 이갈이나 이악물기, 환자가 근육을 계속 수축할 때 스트레스를 받는 상태 같은 증가된 저작 기능을 포함한 여러 요소들에 의해 재촉될 수 있다. 이렇게 지속되는 수축은 치아 접촉 없이 일어날 수 있고, 근육 피로, 긴장, 때때로 경련으로 갈 수 있다.

다음은 근육 동통의 다섯 가지 독특한 형태이다.

1. 국소적 근육통(일차 통각과민; primary hyperalgesia)

이것은 국소적 원인을 갖는 국소적 상태이다. 무디고, 쑤시고, 아프다고 종종 묘사된다. 불편감은 보통 국소적 요소들 때문에 일어나는데, 이런 것들은 과도한 운동, 긴장, 손상, 감염, 염증이 있다.

이런 증후는 환자에 의해 정확히 지적할 수 있다. 국소적 조작, 촉진은 동통을 일으킨다. 대사산물의 순환과 림프액 배액이 효과적이다

치료 : 습열 또는 냉각 또는 둘 다 충분하다, 휴식, 가벼운 범위의 운동, 필요 시 진통제

2. 동통이 없는 근육 긴장(근육 상호수축; muscle co-contraction)

보통 지속되는 근육 수축, 긴장, 관련된 관절의 염증을 동반한 과로의 결과인 반사보호기전.

증후는 환자에 의해 정확히 짚어진다. 국소적 조작, 촉진은 동통을 유발한다.

기능범위의 제한이 보이고 동통은 미약하고 근육은 휴지 시 수축을 멈춘다.

치료 : 습열 또는 냉각 둘 다 충분하다. 휴식, 가벼운 범위 내의 운동과 필요 시 진통제

3. 동통이 있는 근육 긴장(muscle splinting pain; 근육 긴장 동통)

보통 과도한 운동이나 교합적 이상기능(이갈이, 이악물기)으로 인한 계속되는 근육 수축의 결과로 발생하는 반사보호기전. '부분적 움직임으로 야기되는 동통을 피하는 수단으로 나타나는 근육의 굳어짐' 으로 정의된다. 임상적인 예는 측두하악 관절에 외상성 손상의 경우이다. 근육은 손상된 관절의 운동과 동통을 예방하기 위해 고정되거나 딱딱해진다. 그러므로 환자가 입을 벌리는 능력이 제한되는 것은 측두 하악 관절의 실질적인 손상보다는 근육 긴장의 기능이 더 작용하는 것이다. 측두하악관절을 보호하기 위해 능동적인 하악의 운동의 범위는 제한된다. 긴장된 근육의 강력한 수축이나 근육의 강력한 신장과 함께 동통이 나타난다. 그러나 하악이 수동적으로 움직일 때, 거의 제한이 일어나지 않는다. 따라서 개구장애는 보이지 않는다(부드러운 종말감각, soft end feel).

근육은 보통 휴지 시 풀어진다. 그러나 '동통을 수반한 근육 긴장' 단계에서는, 근육은 휴지 시에 작용을 계속한다. 이것은 근육이나 움직이기로 설계된 구조의 이상기능과 고정을 야기한다. 이것은 수축이 지속되는 근육 경련과 다른데, 매우 고통스럽고 전체적인 고정이 일어난다.

치료 : 열보다는 냉각, 얼음이 선호된다 ; 휴식, 가벼운 범위 내 운동 연습, 필요 시 진통제나 NSAID

4. 근막 동통(myofascial pain)

이것은 국소적 근육 동통과는 다르다. 국소적이고 낮은 동통 역치 때문이 아니고, 근육, 건, 근초의 근막 발통점의 존재 때문에 발생한다. 정상 근육 활동에 의해 자극될 때, 발통점은 동통을 유발시킨다. 그리고 많은 부분이 연관된다. 따라서 동통의 실제 원천과 원인 요소는 환자에게 전체적으로 알려지지 않을 수 있다. 따라서 동통의 위치와 원인을 규명하는 것이 긴급하다

발통점 기전은 Travel, Rinzler, Simons에 의해 설명되었다. 근육의 몸체에 위치한 그런 발통점은 명확한 압통으로 촉진될 수 있고, 국소마취제나 분무식 냉각 스프레이로 마취할 때, 연관통이 변형되거나 멈추게 된다. 이런 동통은 발통점이 이완, 수축, 촉진에 의해 자극될 때 일어난다. 감정적인 긴장, 근육피로, 여러 질환은 이런 발통점의 가능한 원인으로 언급되었다.

치료 : 일차치료는 NSAID, 존재 시 발통점의 주사, 가벼운 범위의 운동 연습

5. 근육 경련(muscle spasm)

근육경련 동통은 근육장애 중에서 가장 고통스럽다, 그리고 근육이 휴지 시에도 수축이 지속되는 근육 긴장, 근막 동통과 다르다. 임상적으로 저작 거근과 외측익돌근의 경련은 부정교합을 야기한다. 왜냐하면 근육의 수축된 상태는 하악의 변이를 야기하기 때문이다. 만약에 검사 과정 동안 근육 긴장, 동통이 있거나 없는 근육긴장, 근막성 동통이 있다면 그 때 치과의사는 교합조정을 해서는 안된다. 교합조정을 시도하기 전에 근육의 장력이 정상화될 때까지 항상 기다려라.

목근육의 긴장과 경련은 머리의 위치와 운동을 바꿔놓는다. 경련이 등축성일 때 변위 없는 굳음이 발생한다. 예를 들면, 목의 굴곡 신전근육이 등축성으로 접촉한다면, 목은 뻣뻣해지고 굳어짐이 나타

날 것이다. 치과 체어나 의과 검사대에서 환자는 수평으로 누운 채로 목과 얼굴 근육의 검사가 행해져야 한다. 이 위치는 느슨해진 상태에서 근육을 촉진할 수 있도록 한다.

근육 경련의 한 가지 유일한 특성이 있는데, 이것은 동통자체가 계속 남으려는 경향이다. 이런 현상은 주기성 근육 경련으로 불리어지고, 명백히 중추성 흥분 효과이다. 어떤 원인으로부터 고통스러운 근육 경련이 발생되면 그것은 원인이 없어진 뒤에도 반복되고 애매하게 지속된다. 그것은 또한 연관통과 퍼지는 동통을 포함한 중추성 흥분 효과를 유발할 수 있다.

운동 범위는 극심한 동통과 근육 섬유의 굳음에 영향을 받는다.

치료 : 얼음 냉각, 아픈 부위의 가벼운 스트레칭, 가벼운 범위의 운동연습, NSAID와 근이완제가 선호된다.

임상 평가

머리, 얼굴, 목, 어깨 근육의 임상평가는 다음 기준을 사용하여 기계적으로 수행되어야 한다.

1. 근육은 휴지 시와 최대한 작용한 경우와 수축한 위치 모두 평가되어야 한다.
2. 근육은 원래 위치와 근육부착점과 근복부를 포함한 전체 길이를 통해 검사되어야 한다.
3. 근육은 부착에 대해 수직, 수평 둘 다 촉진되어야 한다.
4. 근육은 한쪽에서 반대쪽으로 길이, 탄성, 촉진 시 압통을 평가하고 비교해야 한다.
5. 연관통 지점은 근육이 촉진되는 동안 기록되어야 한다.
6. 특정 근육들을 잊지 않기 위해 근육 평가에서는 일정한 패턴과 순서로 진행해야 한다.
7. 근육 구조를 촉진할 때 과도한 압력을 사용하지 않는다. 검사를 시작하기 전에 아픈 곳을 가려내기 위해 피부 표면을 가볍게 촉진함으로 시작한다.
8. 근육은 내측과 외측 둘 다 촉진되어야 한다(구강 내, 구강 외).
9. 환자가 누워있거나 누울 때 목과 어깨 근육을 촉진하라.
10. 가능하다면 인접한 구조에 있는 근육을 누르지 말고 엄지와 검지 사이로 근육을 잡으려고 시도하라.

> 연조직 병변의 진단은 간접적으로 접근되어야 한다. 내과의사는 촉진을 진단의 주요방법으로 여겨서는 안 된다. 관절, 근육, 신경의 상태는 얼마나 잘 기능하는 지로 평가된다.
>
> - Cyriac

종말감각(END-FEEL)

하악의 개구 시에 관찰되는 제한에 관련되어 '종말감각' 이라는 용어를 논의하는 것은 타당하다. '능동 개구(active opening)' 는 환자가 동통 없이 입을 벌릴 수 있는 범위이다. 제한된 개구량을 가진 환자는 그의 최대 '능동 개구량' 만큼 벌리라고 요구할 때 개구량이 측정된다. 그리고 나서 하악 절치의 절단연에 글러브를 낀 손가락을 대고 하악을 천천히 약간의 저항을 느끼면서 아래로 누른다. '수동 개구(passive opening)' 는 이때 측정된다. 만약 근육 긴장이 제한을 야기하고 있다면 종말감각은 '부드러울(soft)' 것이다, 그리고 하악은 원래 '능동 개구' 종말점을 지나 15~25mm 더 개구를 계속할 것이다. 만약 하악이 굳어있고, '딱딱한(hard)' 종말감각을 갖게 되면 원인은 근경축으로 근육성일 것이다. 유사하게 측두하악관절 내의 유착이나 관절낭 내 문제 제한으로부터 기원하여 개구 제한이 일어나기 쉽다.

요약

이갈이나 이악물기는 다음의 일련의 근육상태 결과를 포함한다.
· 계속되는 근육 수축
· 피로
· 근 긴장(운동 기능 범위 제한)
· Freeway space 감소
· 동통을 수반한 근 긴장- 운동범위 제한, 하악운동에 따른 근육 내 동통, 이완 시 동통, 저작시 동통, 휴지 시 동통
· 근육 경련
· 치아 교합에 영향을 미칠 수 있다.

참고문헌

1. Bell, W.E., Temporomandibular Disorders, 2nd Ed., 1986, Year Book Publishers, p. 64-67.
2. Marms, A., et al, "EMG Bite Force and Elongation of the Masseter Muscle Under Isometric Contraction and Variations of Vertical Dimension", JProsthDent, 42: 674-682, 1979.
3. Manter and Gantz, Essentials of Clinical Neuroanatomy and Neurophysiology, Philadelphia, FA Davis Co., p. 89-106.
4. Hellsing, G., "Functional Adapatation to Changes in Vertical Dimension", JProsthDent, 52: 867-870,

1984.

5. Williams, P.E., and Goldspenk, G., "The Effect of Immobilization on the Longitudinal Growth of Striated Muscle Fibers", J.Anat., 116:45, 1973.

6. Tabary, J.C. et al, "Physiological and Structural Changes in a Cat Muscle", JPhysiology, London, 1972.

7. Williams, P.E., and Goldspenk, G., "The Effect of Immobilization on the Longitudinal Growth of Striated Muscle Fibers", J.Anat., 116:45, 1973.

8. Rugh, J.D., Drago, C., "Vertical Dimension, A Study of Clinical Rest Position and Jaw Muscle Activity", JProsthDent, 45:670, 1981.

9. Manter and Gantz, Essentials of Clinical Neuroanatomy and Neurophysiology, Philadelphia, FA Davis Co., p. 89-106.

10. Bell, W.E., Temporomandibular Disorders, 2nd Ed., 1986, Year Book Publishers, p. 64-67.

11. Williams, P.E., and Goldspenk, G., "The Effect of Immobilization on the Longitudinal Growth of Striated Muscle Fibers", J.Anat., 116:45, 1973.

12. Rugh, J.D., Drago, C., "Vertical Dimension, A Study of Clinical Rest Position and Jaw Muscle Activity", JProsthDent, 45:670, 1981.

13. Rugh, J.D., Drago, C., JProsthDent, 45:670, 1981.

14. Alling, C.C., and Mahan, P.E., Editors, Facial Pain, 2nd Ed. Lea and Febigger, Philadelphia, 1977. p. 131-132.

15. Manter and Gantz, Essentials of Clinical Neuroanatomy and Neurophysiology, Philadelphia, FA Davis Co., p.89-106.

16. Travell, J.G., Simons, D.G., Myofacial Pain and Dysfunction: Trigger Point Manual, Williams & Wilkins, 1983. p. 12-20.

17. Rugh, J.D., Drago, C., "Vertical Dimension, A Study of Clinical Rest Position and Jaw Muscle Activity", JProsthDent, 45:670, 1981.

Chapter 5

치과의사를 위한 동통 관리

머리 속과 주변의 동통은 환자들이 가진 가장 흔한 호소들 중 하나이다. 다행히 치통을 포함한 두통으로 고통을 받는 모든 환자의 90%에 이르는 대다수는 생명을 위협하지 않는 긴장성 형태, 근축성 두통, 목 동통, 혈관성 두통, 두 가지의 혼합(긴장성/혈관성 두통)으로 고통을 받는다. 머리와 목과 측두하악관절에 영향을 미치는 동통장애는 '복합장애(combination disorders)'로 묘사된다. 이런 측두하악 동통장애의 다원적 특성은 환자에 대한 주의 깊은 평가를 요구하고 보통 여러 가지 진단으로 결과를 맺는다(polydiagnoses). 다중진단을 갖고 있는 이런 장애는 동통을 성공적으로 치료하기 위해서 물리치료, 약물치료, 행동치료, 스플린트 치료와 같은 다양한 치료를 요구할 것이다.

동통의 해부학과 생리학

동통을 경험하는 개인에게 있는 기본 기전은 동통을 매개하는 구조, 즉 말초 동통 점유, 중추 신경 섬유에서의 기능 장애, 또는 각각의 신경세포 내의 기능장애이다.

병인학적으로 이것은 매개물질, 호르몬의 불균형, 선천적 장애, 유전적 장애, 독성 대사장애, 외상, 종양, 혈관적 문제, 면역학적 장애의 결과로 일어난다. 결과적으로 뉴런과 축색돌기, 수상돌기 내부와 주위에 일어나는 이런 일들이 동통을 발생할 것이다. 중추신경계 자체, 뇌척수막, 혈관계, 근육, 뼈, 치아, 점막, 피부 자체에서 병적인 과정에 의해 동통이 생성된 것이 수반된다. 불행하게도 만약 원래 유발하는 요소가 어떤 환경에서 제거된다 하더라도 깊숙히 자발적으로 지속되는 중추신경계의 사건들이 발생되어 동통의 유지를 유도하게 된다.[2]

측두하악장애(TMD)와 두통

측두하악장애는 구강안면 동통과 분명히 다르다. 측두하악장애는 근육과 관절장애를 묘사하는 용어이다. 구강안면 통통은 보통 신경병질의(neuropathic) 동통이고 이성질적인(heterotropic)(동통의 근원과 위치가 두개의 다른 장소에 있는) 동통장애로 묘사된다. 측두하악장애는 보통 두통, 목과 어깨의 동통, 측두하악관절 변위의 증상의 3요소 중 한 개나 그 이상으로 표출된다. 따라서 치과의사나 치료하는 보건 전문가는 두통의 기반이 되는 원인을 기본적으로 이해하는 것이 필수적이다.

측두하악장애 기원의 두통은 보통 근골격성이고, 이악물기나 이상기능 습관의 결과이다. 만약 환자가 아침에 두통이나 안면 동통이 있는 상태로 일어나고, 동통이 아침이 지나면서 사라진다면, 동통은 야행성 이악물기와 이갈이에 의해 야기된다고 여길 수 있다. 치아 마모는 명백해질 것이다. 만약 환자가 아침에 두통 없이 일어나고 두통이 낮이 진행되면서 강도가 증가한다면, 우리는 환자는 낮에 이악물기나 이갈이를 한다고 일반적으로 결론지을 수 있다. 또한 치아 마모도 명백해질 것이다.

두통

신경계의 기관질환과 관련된 두통을 호소하는 환자는 거의 그들의 두통을 설명하는 두개 내(intracranial) 구조적 이상을 보이지 않는다. 그러나 빨리 인식되고 다루어져야 하는 심각한 장애를 갖는 경우도 있다. 동통의 90%가 근골격 원인(긴장성-혈관성)임에도 불구하고, 뇌종양을 갖는 환자의 적어도 60%는 동통을 호소한다. 임상가는 현존하는 문제가 보기보다 훨씬 더 심각할 수 있는 가능성이 항상 있다는 것을 인식할 필요가 있다. 이러한 비정상은 다음과 같다: 두개 내 덩어리 병소, 편두통, 거대세포 관절염. 편두통과 거대세포 관절염은 다음 장에 논의될 것이다. 두개 내 덩어리 병소는 두개 내 동통과 관련되어 논의될 것이다. 두개 내와 두개 외 두통 사이의 구분은 아주 간단하다:

두개 외 두통(extracranial head pain)

두개와 그 내용물의 해부학의 기본적인 이해가 두개 내 동통을 두개 외와 구분하기 위하여 필요하다. 두개 외 근원의 동통을 규명하는 간단한 방법은 냉(cold)의 사용이다.

1. 환자에게 동통의 위치를 질문한다.
2. 이환된 부위에 ethyl chloride를 분무한다.
3. 만약 환자의 동통이 현저하게 줄어들거나 사라진다면, 우리는 동통이 두개 외 구조에서 기원한다고 생각할 수 있다(ex. 근육).

두개 내 동통(intracranial head pain)

두개골의 안벽을 커버하는 조직이나 뇌수막 피복뿐만 아니라 뇌는 동통에 둔감하다. 유일하게 뇌척수경막, 수막, 그리고 큰 혈관만이 신경이 분포되어 있으므로 동통에 민감하다. 동통에 민감한 가장 중요한 두개 내 구조물은 혈관, 특별히 대뇌 수막 동맥, 대 동맥, 수막동의 근부이다. 두개 내 덩어리 병소는 옮겨진 혈관에 의해 동통이 유발된다. 이런 동통은 맥박치는, 두드리는 특성을 갖고, 활동, 재채기, 머리의 갑작스러운 움직임에 의해 악화될 수 있다. 두개 내 동통의 몇 예는 활동성 두통과 대뇌 혈관 장애에 의해 야기되는 두통이 있다.

활동성 두통(exertional headache)

일시적인 두통이 기침에 의해 악화될 때 재채기를 하거나, 걸상을 잡아당기거나, 웃거나, 몸을 구부리거나, 숙이거나 물건을 드는 행동도 흔히 같은 효과를 갖는다. 이런 두개외 동통으로 고통을 받는 대부분의 환자에 대해서 심각한 결론은 없고, 문제는 자기 제한적이다. 그러나 이런 환자의 10%는 후와(posterior fossa)에 위치한 두개 내 병소를 갖고 있을지도 모른다. 만약 환자가 운동에 의해 악화되는 동통을 나타낸다면 신경외과의사에게 의뢰하는 것이 바람직하다. 서서히 증가하는 두개 내 덩어리 병소나 종양을 갖고 있는 환자는 거의 이런 병소로부터 기인하는 동통을 갖고 있지 않을 것이다. 그런 혈관에 적용되는 압력은 아주 점차적이고, 혈관계는 이런 점진적으로 증가하는 압력에 적응할 수 있게 된다. 그럼에도 불구하고, 뇌의 기능은 병소에 의해 영향을 미치는 증가하는 압력에 의해 손상될 지도 모른다. 만약 종양이 빠르게 성장한다면, 혈관은 팽창되고 폐쇄된 조직 내에 침해를 입고, 동통이 나타날 것이다. 이런 특징(생화학적, 세균성, 바이러스성)은 편두통, 거대세포 관절염, 고열과 같은 혈관성 두통의 전구증상에서 발견될 수 있다.

대뇌혈관성질환(cerebral vascular disease), 졸중(stroke), 일시성 허혈성 발작(Transient ischemic attack)

대뇌혈관성두통은 보통 대혈관질환의 특성이다. 왜냐하면 작은 두개 내 혈관은 신경분포가 없고, 그런 작은 혈관의 질환은 보통 두통을 유발하지 않기 때문이다. 대뇌혈관 질환은 두개 내 혈관과 색전(emboli)의 내강의 감소된 크기와 경화로부터 일어날 수 있다. 상기의 원인 때문에 환자는 뇌의 국소적 영역에 불충분한 혈관 공급으로 고통을 받을 지도 모른다(일시적 병소의 대뇌 허혈). 두통은 발작의 증상일 수 있고, 일시적 허혈성 발작으로 나타날 수 있다. 두통의 이런 형태는 편두통 기원의 동통과 혼동될 수 있다. 환자는 편두통과 같은 형태를 경험하지만, 편두통 전조증상(구역질, 구토, 빛에 민감함)을 경험하지 않는다. 그들은 일시성 허혈성 발작의 과정 동안 의식을 잃을 수 있다. 이런 환자는 대뇌 혈관질환으로 고통하고 있고 신속하게 신경외과의사에게 의뢰해야 한다. 두통의 정확한 진단이 적절한 치료를 위하여 필수적이다.

두통의 동통 강도와 시간적 형태

내장성 동통(visceral pain)으로 진단될 때, 동통의 강도는 최소 진단 수치를 갖고 있다. 환자의 동통에 대한 표시는 너무 주관적이어서 중요한 가치를 가질 수 없다. 6개월 이상 동안 동통을 경험한 환자는 그들의 동통을 '고민하게 하는' 그러나 처방전 없이 먹는 진통제가 동통을 감소시키는 동통으로 묘사한다. 만약 동통이 진짜 '고민하게 하는' 것이라면 아마도 환자는 동통을 경감시키기 위하여 마약성 진통제를 요구할 것이다. '시간적 형태'와 같은 다른 두통의 요소는 알려진 진단을 위하여 훨씬 많은 정보를 제공할 것이다.

"두통이 하루의 낮과 밤의 언제 시작되는가? 일정한가? 매일인가, 월경기간과 관련되었나?"와 같은 두통의 시간적 형태는 보통 신경성 기원이다. 오랜 기간의 동통(몇 시간에서 며칠)은 보통 근골격성, 혈관성 기원이다. 환자가 두통으로 깬다면 그것은 혈관성이나 신경성 본질일 것이다. 일상적인 두통은 보통 근골격성 기원이다. 환자의 월경 주기와 관련된 두통은 보통 호르몬 원인(편두통)과 관련되고, 혈관성 원인이다. 만약 환자가 스트레스를 받는 일 동안이나 그 이전에 두통을 느낀다면 또는 스트레스를 받지 않는 일(휴가, 주말) 동안에는 두통이 가라앉는다면 심인성 요소가 관여할 것이다.

동통의 4가지 기본 원인은 다음과 같다.

1. 근골격성
2. 혈관성
3. 신경성
4. 행동성

인체의 동통은 위에 언급한 4가지 가능 근원으로부터 기원한다. 환자가 두통을 나타낼 때 첫 번째 단계는 동통의 근원을 규명하는 것이다. 몇 가지 단순한 검사는 어느 형태가 관련되었는지 설명을 해 줄 것이다.

환자에게 동통의 경감을 위해 어떤 약을 먹었는지 물어보라. 만약 환자가 진통제(aspirin, motrin, Advil of Tylenol)가 효과적이라고 반응한다면 동통은 근골격 기원이라는 사실에 안심하게 될 수 있다. 혈관과 신경 기원은 단순한 진통 소염제로는 반응하지 않는다.

검사자는 혈관성 동통(편두통)과 신경성 동통(삼차 신경통)은 스프레이 치료, 교합조정, 교정 술식과 같은 치과 치료의 사용에 잘 반응하지 않는다는 것을 이해해야 한다. 철저한 검사는 두통의 기원의 감별을 포함해야만 한다.

근골격성 동통

근골격성 동통은 보통 둔한, 쑤시는, 아픈, 조이는, 그리고 때로는 '고동치는' 것으로 묘사된다. 머리 (얼굴), 목, 상부어깨의 동통의 가장 흔한 원인이다. 신체 동통의 90%가 근골격성 원인이다. 두통의 90%는 근골격성(긴장-혈관)이 원인이다. 동통은 이갈이나 이악물기, 그리고 스트레스 받는 상태, 환자가 근육을 계속 수축하고 있을 때와 같은 증가된 교합기능을 포함하여 여러 요소에 의해 재촉될 수 있다. 이런 지속되는 수축은 치아 접촉 없이 일어날 수 있고, 근육 수축, 근긴장, 때로는 경련으로 될 수 있다. 근골격 동통은 혈관성 신경성 원인의 동통과는 달리, 턱관절 치료 스플린트, 진통제, 물리치료, 행동 치료에 잘 반응한다.

혈관성 동통

혈관성 통통은 혈류와 혈류의 생화학적 성분과 관련된 동통이다. 이런 형태의 동통은 '박동치는, 맥박치는, 두드리는, 일정한, 이어지는' 그리고 때로는 '날카로운' 과 같이 묘사된다. 혈관성 원인의 동통은 진통제, NSAID, 치과 치료에 반응하지 않는데 이것은 감별 진단에 있어 핵심 요소이다. 혈관성 동통은 편두통에서와 같이 생화학적 반응 근육수축, 혈관 수축과 관련된 허혈과 생화학적 반응을 느낄 수 있다.

혈관성 장애와 관련된 두통은 다음을 포함한다: 경색(infarction), 일시적 허혈성 발작(transient ischemic attack), 혈종, 지주막하 출혈(subarachnoid hemorrhage), 동정맥 기형(arteriovenous malformation), 동맥류(aneurysm), 관절염, 혈종, 경동맥압통, 급성 동맥성 고혈압, 혈관성 동통의 몇 가지 예가 따른다.

전형적 편두통(classic migrane) : 전형적 편두통은 전조(시각 장애)를 갖는 동통으로 표시되고 보통 '전조(prodrome)' 라고 불리는 일련의 징후에 의해 선행된다. 징후는 구역질, 구토, 눈부심(빛에 민감(photophobia)), 시각 전조 (빛이 어른거림, 보이는 부분 중에 일부분이 희미하게 됨)를 포함한다. 이런 징후의 몇 가지 또는 전부는 환자에 의해 묘사될 것이다. 동통은 보통 편측성으로, 측두부, 이마, 눈 밑에 동통이 편측 두통으로 표시된다. 일단 동통이 시작되면 수 시간에서 수 일 지속될 수 있다.

치료는 Imitrex(sumatriptan)이 치료약물로 볼 수 있고, 매일 처방해야 한다. Imitrex는 많은 일이 시작된 이후에도 편두통을 멈출 수 있다. 치과치료(기능회복훈련, 교합조정)뿐만 아니라 진통제는 편투통이나 혈관성 장애에는 효과가 없다. 왜냐하면 혈관성 문제는 국소적 치료에 반응하지 않기 때문이다.

필자는 긴장성형태의 두통(앞서 '근육수축두통' 이라고 명명함)이 혈관성 결과의 발생에 앞서는 많은 경우를 관찰해왔다. 이런 형태의 동통은 혈관 기원이 아니다. 따라서 진통 소염제와 기능회복훈련(스플린트)는 초기에 적용되면 효과적이다.

일반 편투통(common migrane) : 일반 편투통(전조 없음)은 편두통으로 묘사되고 정기적으로 돌아오는 동통이다. 보통 머리의 편측에 제한되고 현기증이나 구역질이 자주 동반된다. 치료는 전형적 편두통과 같다.

군집성 두통(cluster headache) : 군집성 두통은 보통 갑작스런 발생, 전적으로 발작성, 한 번에 2-3시간 지속되는 두통으로 묘사된다. 몇 가지 진단적인 특징이 있다; 군집하여 2-5일 연속하여 나타나고 몇 주, 몇 달 기간 동안 사라지고 다시 나타난다.

치료는 전형적 편두통과 같다. 진단학적으로, 100%산소가 공급될 때, 7 *l*/min, 약 3분 동안, 두통이 보통 사라진다.

측두 관절염(거대세포관절염) : 측두 관절염은 보통 얼굴의 단지 한쪽에 날카로운 동통을 갖고 수 초에서 수 분간 지속되는 편측성 장애로 보인다. 시동맥(ophthalmic artery)의 폐쇄 때문에 이환된 부분이 희미하게 보이는 것과 같은 시각장애가 나타난다. 천부 측두 혈관 또한 이환되고, 조기 진단이 이루어져야 한다. 그렇지 않으면 이환된 눈의 영구적 실명이 일어날 수도 있다. 때때로 고통스런 발작 동안 혈관이 굳어지고, 관찰되며 촉진될 수 있다. 측두 관절염을 나타내는 환자에게서 적혈구 침강비율 (erythrocytesedimentation rate)은 80-130+(정상은 0-20)으로 올라갈 수 있다. 천부 측두동맥의 생검은 양성이나, 그것은 천부 측두 동맥의 1-1.5cm 을 제거하는 외과적 처치가 수반되어야 하기 때문에 항상 추천되는 것은 아니다. 이런 장애의 조기진단은 필수적이다. 진단에 의존하여 내과의사는 생검이 시행되기 전이라도 시력 손실을 막기 위해서 스테로이드를 신속하게 처방할 것이다.

신경성 동통

신경성, 즉 신경 발생의 동통은 말초 동통 섬유, 중추 동통 섬유에서의 동통, 각각의 신경세포에서의 이상기능으로 인한 동통을 포함한다. 신경성 원인의 동통은 진통제, NSAID, 치과 치료에 반응하지 않는데, 이것은 감별진단의 중요 열쇠이다. 동통의 형태는 '날카로운, 칼로 찌르는, 저린, 화끈거리는' 또는 '따끔거리는' 과 같이 묘사된다. 그러나 동통은 근육 내에 원인을 갖고 있지 않다는 것을 인식하는 것이 중요하다. 동통은 근육에 공급되는 운동 수용기와 신경 요소로부터 기원한다.[9] 1879년에 Hilton은 그의 논문 Rest and Pain에서 다음과 같이 언급했다.

> 관절을 움직이는 근육 집단에 공급하는 신경가지, 신경의 동일한 줄기는 같은 근육 위의 피부에 신경분배를 제공하고, 기시점과 관절 내부는 같은 근원으로부터 신경을 받는다.[10]

1988년에는 Cailliet은 이러한 진술이 관절과 근육을 제외한 모든 사지에 적용된다는 것을 확인했다.[11]

신경 함입(nerve entrapment)
─함입성 신경병변(entrapment neurophthy), 즉 근성(radicular) 동통

근육에 공급되는 신경이 갇히게 되면 말초 무감각이 유발될 수 있다. 치과의사는 측두하악 동통을 갖는 환자에게 이런 증상을 주의 깊게 관찰할 필요가 있다. 측두하악 관절의 동통은 인접 근육조직을 고정시키거나 긴장시킬 수 있고, 후두, 목, 상부 어깨, 능형부의 근골격성 동통을 야기한다. 동통은 목, 어깨에서 측두하악관절, 얼굴로 연관될 수 있다.[12]

함입성 신경병변(근성 동통)은 팔과, 손과 몸통으로 방사하는 무감각과 작열감으로 보통 C5-T1이나, 그 아래 부분에서 경추신경이 갇히는 결과로 일어날 수 있다. 경추신경은 팔과 손의 특정 부위에 공급된다. 예를 들어 C6에서 신경이 갇힌다면, 환자는 엄지와 손목의 내측부위에서 동통을 느낄 것이다. 만약 C8-T1의 수준에서 신경이 갇힌다면, 환자는 팔꿈치에서 집게 손가락 전체로 동통을 느낄 것이다.

얼굴, 팔, 손(C1-C4)은 기능장애을 확인하기 쉬운 명확한 피부과적 형태를 나타낼 것이다.

치료는 신경외과의사에게 의뢰한다. 몇몇은 침, 수술, 전파 주파수 치료에 반응한다.

삼차신경통(Tic Doloroux)

이것은 5번뇌신경이 난원공(foramen ovale)을 빠져나감에 따라 외압에 의해 발생하는 동통이다. 동맥과 신경이 공(foramen)을 통과함에 따라 신경에 대항하는 동맥의 박동은 때때로 신경의 수초탈락을 야기할 것이다(수초막을 침식시키고 접촉한 신역이 노출됨). 삼차신경통으로 고생하는 환자는 마치 '바늘이 반복적으로 찌르듯이 아픈' 것처럼 자주 느낀다. 때때로 만성 저등급 동통처럼 날카로운 동통의 간격으로 동통은 수초에서 수분 지속된다.

치료는 신경외과의사에게 의뢰하라. 어떤 환자는 수술(Janetta 방법), 알코올주입, 전파주파수방법에 반응한다. 낮은 장애의 약리학적 치료는 Tegretol, Neurontin으로 치료한다.

(다음 단원 '뇌신경 평가' 를 보라)

행동적 동통

이것은 심인성, 신경정신적 원인의 동통으로 묘사된다. '동통의 심리학적 양상' 단원에서 기술된다.

전신적 동통(systemic pain)

어떤 동통은 혈관성, 신경성, 근골격성 문제와 같이 전반적으로 보이는 전신적 장애로 기원한다. 콜라겐 면역 반응에 의해 야기되는 문제뿐만 아니라 류마토이드 관절염이 그 예이다.

유발검사(provocation tests)

환자에게 동통이 느껴지는 정확한 지점을 가리키도록 지시하라. 지점에 손가락으로 압력을 가하고, 환자가 당신의 손가락을 빨리 밀어내는지 관찰하라. 만약 그렇다면, 이것은 양성 자극시험이고, 이것이 동통의 원천이다. 만약 환자가 빠르게 빼지 않고 단지 "네, 거기가 아파요"라고 한다면 동통은 다른 부분에서 연관되기가 쉽다.

저항시험(resistance test)

이 시험은 교근, 외측익돌근, 내측 익돌근과 같은 근육에 가장 좋다. 환자가 하악을 반대측 견치가 닿을 때까지 측방으로 이동하도록 시켜라. 환자가 이를 같이 유지하도록 하고 당신 손의 손바닥으로 저항에 대하여 하악을 측면으로 밀기를 계속하라. 이미 피로한 근육은 빠르게 과부하될 것이다(생리학적 한계를 넘어서고 환자가 동통을 느낀다고 지적하는 부분이 정확하게 아플 것이다).

(근육 생리학 단원을 볼 것)

결론

비록 두통은 복합적이고 어려운 주관적이긴 하지만 동통을 순위구분하고 기본 기전과 진단 기준을 을 이해하기 위해서 신경외과의사가 될 필요는 없다. 몇몇 참고문헌은 뒤떨어진 것처럼 보인다. 그들은 최신의 연구와 오늘날 연구를 위해 기초를 형성한 주요 논문들이다. 예를 들어 Ray와 Wolff의 연구는 기념비적인 부분에서 기본참고문헌과 논문이다. 1940년에 발표된 연구는 30명의 환자에게서 다중의 두내뇌 장소의 자극의 효과를 기술하였다. 이들은 두개 내와 외측의 구조의 동통에 대한 민감성에 대한 주의 깊은 관찰을 할 기회가 있는 뇌수술이 필요한 외과적 환자들이었다. 자극의 다양한 사용은 오늘날도 사용되는 동통에 대한 두개 내, 두개 외 구조의 민감성에 대한 결과로 결론내려졌다.

참고문헌

1. Wiederholt, W., "Differential Diagnosis of Head Pain", Pain Management Conference, UCSD School of Medicine, Sept. 1991.
2. Wiederholt, W., 1991.
3. Northfield, E.W.C., "Some observations on headache", Brain, 61:133-162, 1938.
4. Rushton, J.G. and Roooke, E.D., "Brain tumor headaches", Headache, 2:147-152, 1962.
5. Ray, B.S. and Wolff, H.G., "Experimental studies on headache pain sensitive structures of the head and their significance in headache", Arch. Surgery, 41:813-856.
6. Rooke, E.D., "Benign exertional headache", Medical Clin. No. Amer., 50:801-808, 1968.
7. Mahan, P., Alling, C., Facial Pain, 3rd Ed., 1991, Lea & Febiger, p. 24-25.
8. Davidson, T., Henry, J., Clinical Laboratory Diagnosis, 15th Ed. 1974, W.B. Saunders, Co., p. 133-35.
9. Cailliet, R., Soft Tissue Pain and Disability, 2nd Ed., 1988, p. 223-24.
10. Hilton, J., Rest and Pain, Wm. Wood Co., New York, 1879.
11. Cailliet, R., p. 223-24.
12. Travell, J., Simons, D., Myofascial Pain and Dysfunction: The Trigger Point Manual, Williams and Wilkins, 1983.

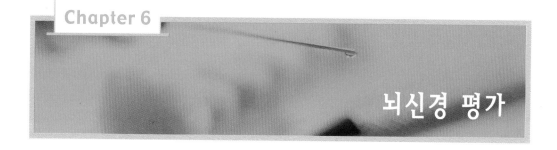

Chapter 6

뇌신경 평가

뇌신경의 기본적인 평가는 두경부 평가의 필수적인 부분이고 빠르고 힘을 덜 들이고 시행할 수 있으면서도 진단에 있어서 살아있는 정보를 제공한다. 이러한 검사를 소홀히 하다가는 큰 재앙이 닥칠 수도 있다. 6개월에서 1년 가량 스플린트 치료를 한 환자가 후에 여러 뇌신경에 병소를 가지고 있었다는 것을 발견하게 되는 최악의 상황은 상상하기도 싫다. 이런 치료는 단지 효과를 보지 못한 것뿐만 아니라, 오진으로 인해 낭비된 시간은 환자의 건강을 해치게 된다. 치명적인 장애는 거의 치과의사에 의해서 발견되지 않는다. 가장 좋은 방법은 피로감이나 기침과 함께 두통이 증가하거나 뇌의 혈압이 높아짐에 따라 두통이 증가하는 모든 환자를 신경과 전문의에게 의뢰하는 것이다.

모든 해부학 참고서에 12개의 뇌신경의 이름과 기능이 설명되어 있다. 다음은 뇌신경 반사와 반응을 물리적 검사와 문진을 통해 빠르게 평가할 수 있는 방법이다. 이 요약된 뇌신경 검사는 몇 분이면 시행할 수 있다. 대부분의 환자들은 자신이 냄새를 맡을 수 있는지, 들리는지 등에 대한 것은 다 알고 있을 것이다.

제1뇌신경 – 후각신경(감각신경)

이 신경은 완전한 감각신경이고 양쪽 코의 후각을 평가함으로써 검사할 수 있다. 정상적으로 냄새를 맡을 수 있다면 이 신경의 기능은 문제가 없는 것으로 생각할 수 있다.

1. 환자에게 얼마나 냄새를 잘 맡는지 물어보라.

2. 만약 환자의 후각이 감퇴되어 있다면(나이든 환자의 경우 정상적으로 후각과 미각이 감퇴될 수 있음을 고려하면서) 환자의 입과 코를 통해 나오는 숨에다가 깨끗한 5인치짜리 거울을 대보라. 만약 한쪽에만 김이 서린다면 폐쇄성 비중격 만곡, 폴립, 코 막힘 또는 상악동의 상태에 연관된 것을 문의하라. 만족스럽지 않다면 환자를 이비인후과 전문의에게 의뢰하라.

3. 환자에게 후추, 정향(cloves) 또는 바닐라의 향을 구분할 수 있는지 물어보라. 이것들 중 어느 것도 냄새를 맡을 수 없다는 환자는 거의 없고, 이것들을 눈 가까이 두고 코아래는 암모니아를 둔 채로 검사할 수 있다. 제 5 뇌신경이 암모니아 냄새를 감지할 것이기 때문에 그들은 재빨리 냄새

를 멀리할 것이다. 만약 환자가 암모니아 냄새를 맡을 수 없다고 하면, 환자의 동기(motives)를 의심해야만 한다. 이런 환자들은 이비인후과 전문의에게 확진을 의뢰해라. 이번에는 이런 환자들과 발견된 사항들을 가지고 대하려고 하지 마라(통증의 정신과학적 측면에 대한 단원을 보라).

제2뇌신경 – 시신경(감각신경)

이 신경은 주변 시야를 평가함으로써 검사할 수 있다. 이 시야는 펜이나 라이트를 가지고 평가해야만 한다. 양측성 시야 감소는 때때로 히스테리를 겪는 환자에게서 보여질지라도, 주변 시야가 감소되는 경우 시신경염, 시력 위축, 또는 다발성 경화증이 원인일 수 있다.

1. 환자를 앉히고 눈을 뜬 채로 마주해라. 환자에게 머리를 돌리지 말라고 지시하라.
2. 환자에게 계속해서 정면을 보라고 지시하고 시야에 어떤 물체가 보이면 당신에게 말하도록 하라.
3. 펜라이트나 펜을 가지고 시작하고(어떤 물체를 사용하는지는 중요하지 않음), 물체를 환자의 주변 시야 밖에 두고 천천히 시야의 가장자리 쪽으로 똑바로 이동시켜라.
4. 환자가 물체를 볼 수 있을 때 알려라. 그들은 그들의 시야에서 70~80도 정도에 들어오면 물체를 볼 수 있어야 한다.
5. 환자들의 주변 시야가 줄어들었다면 안과 전문의에게 의뢰하라.

제3뇌신경 – 동안신경(운동신경)

3, 4, 6차 뇌신경은 눈을 돌리는 근육에 분포한다. 이 신경들은 한꺼번에 검사되어야 한다. 이 신경들 중에 하나가 질환이 있으면, 눈을 시키는 대로 움직일 수가 없다. 환자가 'Lazy eye(시신경적인 문제가 아니라 눈 근육의 약화로부터 기인한 문제)' 으로 의심되면 안과 전문의에게 의뢰하는 것이 좋다.

1. 안검하수(하나 이상의 상안검의 처짐)가 있는지 관찰하라.
   안검하수가 있다면 안과 전문의에게 의뢰하라.
2. 당신 앞에 환자를 앉혀라. 환자에게 머리를 움직이지 말고 불빛을 따라 눈을 움직여보라고 요구하라.
3. 펜라이트를 환자의 얼굴에서 12인치 정도 떨어뜨리고 환자 앞에서 X를 그려라(의사의 판단 하에 아래의 지시가 주어진다).
4. 당신의 왼쪽 아래에서부터 시작해서 펜라이트를 천천히 오른쪽 위로 움직이고 그곳에 4초 정도 정지하라.
5. 오른쪽 아래로 움직이고 4초 정도 정지하라.

6. 펜라이트를 왼쪽 위로 계속해서 움직이고 4초 정도 정지하라.

7. 환자가 두 눈으로 모든 방향의 펜 라이트를 정확히 따르지 못한다면 문제가 있다고 생각하라. 환자가 어지러움증과 구토를 느끼거나 눈이 함께 움직이지 않는다면 안과 전문의에게 의뢰하라.

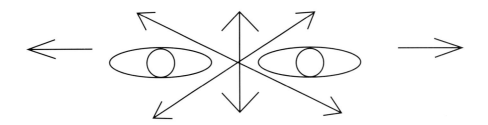

제4뇌신경 – 활차신경(운동신경)

(위쪽의 제3뇌신경 검사를 볼 것) 이 신경은 거의 이환되지 않는다. 만약 이환된다면 제3뇌신경도 함께 이환된다. 환자는 이환된 측의 상이 정상적인 눈의 상보다 아래쪽으로 처지게 되어 2개의 상이 보인다고 호소할 수 있다.

제5뇌신경 – 삼차신경(운동신경과 감각신경)

이것은 운동신경과 감각신경을 포함한 혼합신경이다. 운동 섬유는 저작근을 움직이게 한다. 감각 섬유들이 주를 이룬다. 제5뇌신경은 3개로 분지된다 : 안(eye) 분지(V1), 상악 분지(V2), 하악 분지(V3).

V1 - 안(eye) 분지는 감각 신경만으로 이루어져 있다. 이 감각 섬유들은 눈물샘에 분포되어 있고 제5뇌신경의 중요한 진단적 검사인 동공 반사를 관장한다. 동공 반사 검사는 다음과 같은 방법으로 시행한다.

1. 환자의 양 쪽 눈에 바람을 불어서 눈 깜빡임 반사를 보라(바람의 세기를 알아보기 위해 본인의 눈에 먼저 시린지로 불어볼 것).

2. 환자는 즉시 눈을 깜빡이며 반응을 해야만 한다. 반응이 없는 환자들은 안과 전문의에게 의뢰해야만 한다.

V2- 상악분지(상악신경): 이 섬유들은 코의 측면, 볼, 하안검, 상악 치아, 상악, 경구개, 목젖, 그리고 비강의 아랫부분의 감각을 담당한다. 면봉으로 검사를 한다.

1. 환자가 눈을 감게 한다. 환자에게 피부에 무엇이 닿는지, 그리고 어디에 닿는지를 물어보라.
2. 양측 코, 볼, 상안검을 면봉 섬유로 가볍게(파리의 등에 눌러서 다리가 꺽일 정도의 압력) 문질러라. 환자가 반응을 보인 후에 멈춰라.
3. 감각이 없는 부위가 어딘지 주목하라. 만약 감각이 떨어지는 부위가 있다면 제5뇌신경이나 제7뇌신경이 일차적으로 손상되었거나, 측두하악관절의 수술이나 악교정 수술의 결과로 일어날 수 있다. 뇌졸중 환자는 이 영역에 편측성 감각 이상을 보일 수 있다.
4. 환자를 신경과 전문의나 구강외과 전문의에게 보낼지를 결정하기 위해 병력을 문진하라. 만약 환자가 외상의 병력이 없는데, 안면 편측에 감각 이상이 느껴진다면 신경과 전문의에게 의뢰하라. 만약 환자가 최근 턱 수술을 받은 병력이 있다면 구강외과 전문의에게 의뢰하라.

V3- 하악 분지(하악신경): 감각섬유들은 턱, 외이, 혀, 입술, 그리고 하악 치아의 감각을 담당한다. 운동섬유들은 저작근에 분포한다: 교근, 측두근, 익돌근.

제5뇌신경에 가장 흔하게 이환되는 장애는 삼차신경통이며, 일반적으로 V2, V3에 이환된다. V1, V2의 감각장애를 평가하는 것과 같은 방법으로 V3를 평가한다.

1. 환자를 똑바로 앉아서 당신을 향하도록 한다.
2. 면봉 섬유를 가지고 하악 중앙을 중심으로 양측에 가볍게 문질러라. 감각이 떨어지는 부위를 주목하라. 하악의 아래부위를 가볍게 문지르고 환자의 반응을 살펴라.
3. 감각이 부족한 부위를 주목하라. V2에서와 같이 감각이 부족한 부분이 있다면 제5뇌신경과/또는 제7뇌신경이 일차적 상해로 인해 또는 교정수술이나 측두하악관절 수술의 결과로 손상을 입었을 수 있다. 뇌졸중 환자도 이 영역에 편측성 감각 손실을 일으킬 수 있다.
4. 환자를 신경과 전문의나 구강외과 전문의에게 의뢰할 지를 결정하기 위해 병력을 문진하라. 만약 환자가 외상의 병력이 없으나 편측 안면의 마비를 느낀다면 신경과 전문의에게 의뢰하라. 만약 환자가 최근에 턱수술을 받은 적이 있다면 구강외과 전문의에게 의뢰하라.

제6뇌신경- 외전신경(운동신경)

이 뇌신경은 눈을 돌리는 근육중의 하나에 분포되어 있다. 제3, 6뇌신경과 같이 평가된다. 이 신경의 병소는 안구를 내측으로 회전시켜 상이 두 개로 보이게 만들 수 있다. 이런 병소는 종종 다발성 경화증이나 뇌종양 환자에서 발견된다(제3,4 뇌신경의 설명과 검사를 볼 것).

제7뇌신경 - 안면신경(감각신경과 운동신경)

제7뇌신경은 안면 표정을 나타내는 근육, 전두근, 구륜근, 안륜근의 운동을 관장한다. 벨마비(Bells Palsy)는 이 안면신경의 마비로 야기된다. 편측 안면 마비는 때때로 측두하악관절 수술을 한 후에 환자에게서 보인다. 감각 신경 분포는 혀의 전방 2/3에 감각신경섬유를 전달하는 고삭신경(Chorda Tympani)을 통해 이루어진다. 감각 신경의 기능이상은 혀의 전방 2/3의 미각 상실을 야기할 수 있다.

제7뇌신경의 감각 신경 검사는 문진으로 행해질 수 있다.

1. 환자에게 아이스크림을 핥아먹을 수 있는지 물어보고, 맛이 바닐라인지 초콜릿인지를 말하게 하라.
2. 제7뇌신경의 감각상실을 보이는 환자들은 항상 그들의 미각 인지력이 줄어있다는 것을 안다. 그리고 아이스크림을 숟가락으로 떠먹는데, 이는 혀의 후방 1/3에 제9뇌신경의 감각신경이 분포해 있기 때문이다.

제7뇌신경의 운동 기능은 다음과 같은 것으로 평가될 수 있다.

1. 환자에게 눈썹을 들어 올리라고 시켜라. 만약 신경에 손상이 있다면 환자가 눈썹을 들어 올리지 못한다.
2. 환자에게 미소를 지어보라고 한다. 만약 신경에 손상이 있다면 얼굴의 측면이 처질 것이다.
3. 뇌졸중을 앓고 있는 환자에게도 1, 2가 환자에게 일어날 수 있다. 이런 임상적인 증상은 또한 측두하악관절 수술을 받고 제7뇌신경이 손상을 받은 환자에서 보인다. 증례에 따라서 신경과 전문의에게 의뢰해야 할지, 구강악안면외과 전문의에게 의뢰해야 할지가 결정될 것이다.

제8뇌신경 - 청신경(감각신경)

이 신경은 두 개의 분지로 구성된다: 와우 분지(cochlea)와 전정 분지(vestibular).

와우 분지의 병소는 청각소실 또는 이명을 야기한다. 와우 분지의 기능 이상은 일반적으로 청력의 상실이나 감퇴로 표현된다. 치과 교정학은 청력의 문제를 치유하는데 효과가 없다. 전정 분지는 균형을 유지하고 공간에서 방향감각을 가지는데 중요하다. 이 분지의 병소는 안구 진탕(nystagmus)과 현기증(vertigo and dizzy spells)을 야기한다. 청각 상실은 부적절한 치아 교합의 변화나 턱의 위치 변화에 의해 영향을 받는다고 알려져 왔다. 이것은 연구에 의해서 밝혀진 것은 아니다. 진성 청각 상실은 정상적으로 중이에서 섬모 세포들이 죽어감에 따른 노화의 자연스런 현상이다. 물론 외상도 청각 상실의 또 다른 원인이다. 와우 분지를 평가하는 것을 매우 간단하다.

1. 환자에게 청각 소실이 있는지 물어봐라. 청각 소실을 겪는 환자들은 물어보자마자 이 문제를 호

소할 것이다.

2. 만약 청각 상실이 최근에 일어난 일이거나 어렸을 적에 시작되었다면, 정밀검사를 위해 이비인후과 전문의에게 의뢰하라.

전정 분지에 문제가 있는 환자들은 항상 주된 불만으로 현기증을 호소한다. 현기증이 있다는 것은 전정기관에 문제가 있다는 것을 나타낼 수도 있고, 흉쇄유돌근에 발통점이 있다는 것을 나타낼 수도 있다.

환자들은 "내가 움직이고 있는 것처럼 느껴져요"라고 현기증(dizziness)을 표현한다. 현훈(vertigo)는 움직임에 대한 환각으로 표현된다 Vertigo를 겪는 환자들은 "방이 움직이고 있는 것처럼 느껴져요"라고 그들의 느낌을 표현한다. 치과의사는 일차적으로 흉쇄유돌근이 발통점인지를 검사해야 한다.

1. 만약 흉쇄유돌근의 촉진 시 발통점으로 생각되면 진단을 위해 ethyl cholride를 발통점에 뿌리거나 주사할 경우 증상이 완화될 수 있다.

2. 만약 발통점 치료가 효과적이지 않다면, 환자를 이비인후과 전문의에게 의뢰해야 한다.

제9뇌신경 – 설인두신경(감각신경과 운동신경)

설인두 신경은 인두를 수축시키는 운동신경과 혀의 후방 1/3 부위에 맛을 관장하는 감각신경으로 구성되어 있다. 제9뇌신경의 신경통은 편도 부위에 극심한 통증을 야기할 수 있고 통증이 귀와 측두하악 신경으로 전파될 수 있으며, 항상 연하 반사에 의해서 심해진다. 운동 기능의 평가는 쉽게 할 수 있다.

1. 환자에게 입을 벌리고 "아" 해보라고 한다.

2. 질환이 없는 환자의 경우 목젖이 중앙에서 위아래로 움직인다.

3. 목젖이 한쪽으로 치우쳐져 있으면 이것은 제9뇌신경에 문제기 있는 것이고, 환자는 신경과 진문의에게 의뢰되어야 한다.

제9뇌신경의 감각 신경의 기능을 평가하는 것은 어렵다. 왜냐하면 심지어 제9뇌신경의 감각 인지기능이 상실되었다 할지라도 혀의 전방 2/3의 미각을 담당하는 제7뇌신경에 의해서 맛을 여전히 느낄 수 있기 때문이다. *제9뇌신경과 제7뇌신경의 기능을 정확히 구분할 수 있는 방법은 없다.*

제10뇌신경 – 미주신경(감각신경과 운동신경)

이 신경은 인두와 후두뿐만 아니라 다른 기관에도 넓게 분포되어 있다. 인두와 후두분지의 병소는 연하와 마비에 문제가 생긴다. 미주 신경은 귀에 있는 여러 개의 지압 점에 의해서 표면적으로 자극될 수 있다. 관련된 신경학적 검사들을 떠나서, 제10뇌신경의 기능장애를 결정할 간단한 방법은 없다.

제11뇌신경 – 부신경(운동신경)

부신경은 흉쇄유돌근과 삼각근의 일부에 분포되어 있다. 이 신경이 마비되면 경부 근육의 수축 상태인, 사경(torticollis)이 때로는 편측으로 야기된다. 제11뇌신경의 기능 이상을 검사하기 위해서 신체적 검사가 필요하다.

1. 환자에게 그들의 목을 좌측으로 30도 만큼 돌리도록 요청하고, 그리고 나서 당신의 손에 의해 주어지는 저항을 이기고 계속 돌리게 한다.
2. 환자가 어느 정도 힘을 주는지를 느껴라. 환자가 돌리는 힘이 왼쪽과 오른쪽이 같아야 한다. 만약 당신의 손으로 양측의 힘이 다르다고 느껴진다면 제 11번 신경에 문제가 의심된다.
3. 앉아 있는 환자 뒤에 서서 당신의 손을 어깨 삼각근위에 올린다.
4. 환자의 양쪽 어깨에 5파운드 정도의 압력을 가하고 환자에게 서서히 그들의 어깨를 돌리라고 요구하라.
5. 만약 문제가 있다면 양쪽 어깨가 버틸 수 있는 힘이 확연히 다를 것이다. 신경에 문제가 생겼다면 환자는 편측으로 쇠약함을 보여주는 것이다.

제12뇌신경 – 설하신경(운동신경)

이것은 혀의 근육에 분포되어 있는 운동신경이다. 이 신경의 병소는 혀를 앞으로 내밀었을 때 문제가 있는 측으로 편위된다는 사실로서 쉽게 진단할 수 있는데, 이는 악설근(genioglossus)의 움직임을 보상해주지 못하기 때문이다.

1. 환자에게 그들의 혀를 밖으로 내밀어 보도록 지시하라. 그리고 혀가 한쪽으로 편위되는지를 주목하라.
2. 혀를 보면 두개 내 병소나 종양의 방향을 알 수 있다.

반사작용들의 평가

뇌신경 검사에 더해 반사작용의 평가도 모든 신경학적 검사의 가장 중요한 부분 중에 하나이고 실행하기도 쉽다. 몇 가지는 치과의사에게 매우 중요한 정보를 줄 것이다.

1. 동공 반사 - 정상적으로 눈의 동공은 빛을 비추면 작아진다(직접 광반사). 어떤 약을 복용할 경우 동공의 크기에 영향은 줄 수 있을 지라도 동공이 수축하고 회복되는 것은 같은 속도로 이루어져야만 한다. 의사는 진보한 안과적인 수술 기술이 몇몇 환자에게 새로운 수정체 수술, 각막 수술, 백내장 수술을 가능케 했다는 것에 대해 심도 있게 알고 있어야만 한다. 이런 수술들은 환자의 동공 크기 변화 능력에 영향을 줄 수 있다. 만약 환자들이 이런 수술을 받은 적이 있다면 이 검사의 정확도는 신뢰성이 별로 없다.

2. 각막 반사 - 이 반사는 머리카락이나 부드러운 바람으로 각막을 건드렸을 경우 갑자기 눈을 감거나 또는 깜빡하는 것이다. 한쪽 눈의 각막 반사가 상실되거나 줄어들었을 때 삼차 신경 질환의 초기증상으로 여길 수 있다.

   히스테리 현상도 편측성 또는 양측성 각막 반사 상실을 야기할 수 있고 주변 시야를 줄인다. 이런 많은 환자들이 현기증이나 귀울림, 연하 곤란으로 치과에 찾아온다.

참고문헌

1. Manter and Gantz, Essentials of Clinical Neurophysiology, Philaderlphia, FA Davis, Co., p. 89-106.
2. Davidson, T., Textbook ENT, UCSD School of Medicine, La Jolla, CA.
3. Travell, J., and Simon, D. Myofacial Pain and Dysfunction: The Trigger Point Manual, Williams and Wilkins, 1983.

암기를 위한 유용한 방법

12 Cranial Nerves		Mnemonic		Sensory or Motor or Both
I	Olfactory	On	Some	Sensory
II	Optic	Old	Say	Sensory
III	Oculomotor	Olympus	Mickey	Motor
IV	Trochlear	Towering	Mouse	Motor
V	Trigeminal	Tops	But	Both
VI	Abducens	A	My	Motor
VII	Facial	Finn	Brother	Both
VIII	Auditory	And	Says	Sensory
IX	Glossopharyngeal	Greek Bugs	Both	
X	Vagus	Viewed	Bunny	Both
XI	Spinal accessory	Some My	Motor	
XII	Hypoglossal	Hops	My	Motor

Mnemonics for Neurology

The 5 Branches of the Facial Nerve - VII.

TO ZANZIBAR BY MOTOR CAR.

To	Temporal branch
Zanzibar	Zygomatic
By	Buccal branch
Motor	Masseteric branch
Car	Cervical branch

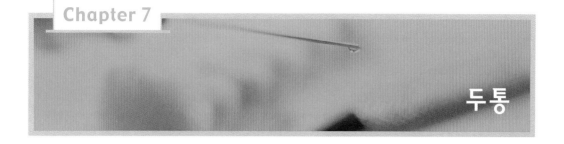

신경계통의 기질적인 문제와 관련되어 두통을 호소하는 환자들은 대개 그 불편감을 설명할 두부 내의 구조적인 이상을 가지고 있는 경우가 거의 없다. 그러나 간혹 즉각적으로 인지되고 처치되어야 하는 심각한 문제를 가지고 있는 환자들도 있으며, 이런 경우 의사가 위험한 질병을 평가하고 인지할 수 있도록 도와주는 두통의 특징이 있다.

두개 내(intracranial) 통증과 두개 외(extracranial) 통증을 구별하기 위해서는 두개와 그 내부의 해부학적 구조에 대해 기본적으로 이해하고 있어야 한다. 뇌를 둘러싸고 있는 조직과 뇌수막과 마찬가지로 뇌도 동통에 대해 감각이 둔하다.[1] 두개 내에서 동통에 민감한 가장 중요한 구조물은 혈관, 특히 대뇌 동맥들과 경뇌막 동맥들, 그리고 큰 정맥들과 경뇌막 공동의 근접된 부분이다.

두개 내 덩어리 병소(intracranial mass lesion)

두개 내 덩어리 병소는 혈관에 압박을 가하여 두통을 일으킨다; 두통은 쿡쿡 쑤시는 특징을 가질 수 있고, 운동, 기침, 갑작스런 머리의 움직임, Valsalva 기동에 의해 심해진다.[2,3] Valsalva 테스트는 경막내 압력(뇌를 둘러싸고 있는 동통에 민감한 조직에 미치는 압력)을 증가시킨다.

또한 두통의 이런 특성들은 발열, 거대세포혈관염(giant cell arteritis), 편두통 같은 혈관성 두통에서도 나타날 수 있다.

고전적인 편두통

고전적 편두통(classic migraine)은 항상 그러한 것은 아니지만, '전구증상' 이라고 불리는 일련의 증상이 대부분의 경우에 먼저 나타난다. 그리고 두통과 오심, 구토, 광민감성, 시야에 나타나는 망막 상의 암점, 번쩍이는 암점과 같은 시각 이상, 시야의 일부가 '가물가물' 거리는 증상들이 특징이다.

거대세포 혈관염 또는 측두혈관염

거대세포 동맥염 또는 측두동맥염(giant cell arteritis or temporal arteritis)의 경우 auriculotemporal 동맥이 확장될 수 있고, '침강 속도(sed rate)' 증가로 접촉에 민감해진다. 초콜릿이나, 유제품, 술(와인)과 같은 특정 음식들의 섭취가 두통을 유발할 수 있다. 항상 이런 환자들은 그들의 일차적인 내과 의사나 신경과의사에게 의뢰하도록 하자. 이런 부류의 통증 환자는 치료하려고 시도하지 않는 것이 좋다.

두통의 동통 민감성과 측두 형태
(pain intensity and temporal pattern of headache)

내부적인 통증으로 진단되었을 때, 통증은 최소한의 강도를 보이며 따라서 두통의 '측두 형태'와 같은 다른 요소들을 검사해야 한다 : 두통이 낮이나 밤 중 어느 시간에 시작되는가? 지속적인가? 매일 지속되는가 아니면 월경 주기에 나타나는가?

최소한 뇌종양을 가지고 있는 60%의 환자들은 두통을 호소한다.[4,5]

대부분의 두개 내 구조물은 통증에 둔감하다. 그것들은 통증 없이 누르고, 쥐어짜고, 옆으로 밀어내고, 얼릴 수도 있다.

두통은 분명히 통증에 민감한 구조물의 기능이상, 위치이상, 또는 다른 것들로부터의 침식으로 인해 나타난다. 뇌에 혈류를 공급하는 동맥과 정맥들은 특히 두개저부위에서 팽창과 뒤틀림, 염증에 민감하며, 이로 인해 두통을 야기할 수 있다.

이 혈관들은 삼차신경과 glossopharyngeal nerve, upper sensery roots of the spinal cord와 함께 분포된다. 뇌 안에 감각신경이 조밀하게 분포되어 있어, 통증에 민감한 굵은 혈관들과 달리 가느다란 혈관들은 신경이 분포되어 있지 않아 통증이 둔감하다.[6]

뇌혈관질환(cerebral vascular disease)

두통은 두들겨 맞은 듯한 증상을 보이며, 일시적인 허혈 증상(transient ischemic attack, TIAs)에서도 일어날 수 있다. 두통은 고전적인 편두통과 혼동될 수 있고, 일시적인 부분적 뇌 허혈에 의해 야기된다.

작은 뇌 내 동맥들은 신경이 분포되어 있지 않으며, 작은 혈관들은 보통 두통을 야기하지 않으므로 뇌혈관성 두통은 일반적으로 대혈관질환의 특징을 나타낸다.

두개 내 문제점들
─재채기(운동성) 두통(cough (exertional) headache)

기침할 때 머리에 일시적인 통증이 나타나며, 코풀기, 대변보기, 웃음, 웅크리기, 구부리기, 또는 일어날 때도 같은 효과가 일어난다.

운동성 두통을 호소하는 대부분의 환자들에 있어서 심각한 상태는 아니며, 자연히 사라진다. 그러나 이런 환자들 중 10% 정도는 후두부 쪽에 위치하는 두개 내 병소를 가지고 있을 수도 있다.

재채기 두통은 일반적으로 여성에서 남성보다 4배 정도 나타나며, 평균 55세 정도에 나타난다. 90%가량은 양성이다.

고려해야 할 사항

비록 두통이 복잡하고 어려운 주제이긴 하지만, 신경전문의만이 두통을 분류하고 기본 메커니즘과 진단의 기준을 이해할 수 있는 것은 아니다. 두통의 동통에 대한 이 단원은 치과의사의 이해를 돕도록 일반화된 사실을 제공한다.

비록 참고문헌 중에 일부는 시대에 뒤진 것일지라도, 오늘날 최신 연구에 있어서 근간을 이루는 주된 논문들이다. 예를 Ray와 Wolff의 연구는 기본적인 참고문헌이며, 기념비적인 연구이다. 1940년에 발간된 연구에는 30명의 환자에서 두개 내의 여러 부위에 대한 자극의 효과에 대해 기술하고 있다. 이 환자들은 수술을 받은 환자들이며 이 환자들의 경우 외과적인 뇌의 노출로 인해 두개 내와 두개 외의 구조물들의 통증 민감성에 대한 조심스런 관찰을 할 수 있는 기회를 제공하게 된 것이었다. 여러 가지 자극을 통해 내린 두개 내와 두개 외 구조의 통증 민감성에 대한 결론은 오늘날에도 여전히 사용되고 있다.

참고문헌

1. Ray, B.S. and Wolff, H.G., "Experimental studies on headache pain sensitive structures of the head and their significance in headache", Arch. Surgery, 41:813-856.
2. Fay, T., "A new test for the diagnosis of certain headaches, the cephalgiogram", Diseases of the Nervous System, 1:312-315, 1940.
3. Hoppenfeld, S., "Physical Examination of the Spine and Extremities", Appleton, Century-Crofts, 106-132, 1976.
4. Northfield, E.W.C., "Some observations on headache", Brain, 61:133-162, 1938.

5. Rushton, J.G. and Rooke, E.D., "Brain tumor headaches", Headache, 2:147-152, 1962.

6. Dahl, E., "Intracranial arteries, morphological differences in extracerebral and intracerebral vessels in proceedings", The Bergen Migraine Symposiu Suppl. 1:24, 1975.

7. Rooke, E.D., "Benign exertional headache", Medical Clin. No. Amer., 50:801-808, 1968.

Chapter 8

동통의 정신학적 측면

> '동통'이라는 단어는 두통이나 요통과 같은 신체적인 통증을 제외하면 거의 공통점이 없
> 는 다양한 느낌들을 표현한다. 이런 점에서 이 단어는 '아름다움'이라는 단어와도 유사하
> 다. 이런 단어들은 그 자체가 존재하는 것은 아니지만, 경험해본 사람들에 의해서만 정의되
> 며, 독특한 경험에 공통적인 요소를 가지고 있다.[1]
>
> -Richard Sternbach, Ph.D.

동통은 공유할 수 없는 경험이다. 동통은 고통 받는 사람만의 것이다. 환자가 동통을 느끼면 고통스
러워하고, 이 때 자신의 과거 경험에 입각한 특정한 통증에 대한 행동을 나타낸다. 이러한 '동통 행위'
들은 임상가가 동통을 겪고 있는 환자와 상담을 할 때 볼 수 있다. 동통 행위는 실제 동통의 진위를 가
리기 힘들게 만든다. 그렇다면 어떤 것이 진짜(real) 동통인가: 신체적 동통(physical pain)인가, 아니면
기질적 동통(organic pain)인가? 사람은 동통을 느끼기 위해 신체적 · 시각적으로는 잘못된 무언가를
가져야만 하나? 왜 사람은 피를 보면 환자가 아플 것이라고 생각하는가? 사람이 동통을 어떻게 인지하
는가는 전적으로 자기 자신의 동통에 대한 경험에 의존하게 된다.

동통의 측정

동통이나 '동통의 크기'를 객관적으로 측정할 수 있는 방법이 있다면 아주 도움이 될 것이다. 그러
나 불행히도 '통각계(dolorimeter)'나 동통을 객관적으로 측정하는 장치는 존재하지 않는다. 현재 사
용하고 있는 측정 기구는 환자 자신이 동통의 정도를 수치적인 양으로 표시하는 주관적인 Visual
Analog Scale(VAS)이다. 우리는 우리 병원에서 Huskisson[2]에 의해 개발된 VAS와 변형시킨
McGill/Melzack 질문서를 사용한다.[3] 두 가지를 사용하는 장점은 두통이 혈관성인지, 신경성, 또는 근
골격성 근원인지를 결정하는데 이 동통 검사를 사용할 수 있다는 것이다. VAS는 우리에게 이번 내원

과 다음 내원 사이에 동통의 정도가 얼마나 변했는가를 더 잘 비교할 수 있게 해준다.

Visual Analog Scale(VAS)

|————————————————————————X——————|

완전 무통   최고의 통증

수치적 척도(numerical scale)는 동통을 1~5점으로 나눈다. 1단계 동통은 낮은 정도이며, 불편감이 거의 인지되지 않는 것이다. 반면 5단계 동통은 환자가 상상하는 최고의 통증이다. 심지어 환자에게 수치가 나타내는 정도를 주의깊게 설명할 지라도 50% 이상의 환자들이 그들의 동통을 '5' 단계나 '5+' 단계로 표시한다. 이런 환자들의 대부분은 이런 동통을 적어도 9~12개월간 겪었으며, 어떤 처방 약도 먹지 않은 상태라는 것을 알아야 한다. 환자가 어떻게 지속적이고, 격심한 통증을 9~12개월이나 참았는지 상상하기도 어렵다. 필자는 환자가 통증을 오래 겪을수록 정신적인 측면이 통증 반응에 영향을 줄 가능성이 크다는 것을 깨달았다. 이런 이유로 환자의 통증에 대한 진단을 하는데 있어서 환자 자신의 통증에 대한 강도를 기록하는 것이 적어도 믿을만한 요소라고 할 수 있다. 이러한 수치적 척도와 VAS 통증 척도는 급성 동통 질환을 겪는 환자의 진행 경과를 평가하는데 도움이 된다. 그러나 만성적인 통증을 겪는 환자에 있어서는 동통을 측정하는데 믿을 만하지 않다.

급성 동통

급성 동통은 일반적으로 외상성 손상이나 질환으로 인해 바로 발생해서 짧은 기간동안만 지속되는 통증을 말한다. 자율신경계 활동에 변화가 있으며 심박수와 혈압, 근육의 긴장도가 증가한다. 이런 형태의 동통은 일반적으로 인지하고 치료하기 쉽다.

급성 동통의 형태는 응급 반응 중의 하나이며, 동통 자체의 강도와 동통의 중요성에 대한 걱정을 하게 된다.

안정제는 중추 신경계에 작용하고, 일반적으로 급성 동통 질환에 효과적이다. 환자들은 안정제를 복용하거나, 설명해주고 안심시키는 등의 걱정을 줄이는 방법에 의해 동통의 감소를 보고하는 경향이 있다. 통증의 이유를 설명해 주거나 안심시키는 행위들은 그들이 치명적이거나 생명을 위협하는 질환에 대한 걱정을 없애줌으로써 급성 동통에 효과적이다. 이러한 설명과 안심시키는 것은 오랜 기간 동통을 겪은 만성 동통 환자에게 더욱 중요한데 이는 만성 환자들의 걱정은 훨씬 깊이 내재되어 있고 다루기 힘들기 때문이다.

만성 동통

만성 동통은 더 오랜 기간 동안 겪게 되는 동통을 말하며, 다른 장면이 연출된다. 만약 동통이 간헐적이기보다 지속된다면, 자율신경계 반응이 적응하는 경향을 보인다. 자율신경의 반응 형태는 수면장애, 식욕부진, 성욕 감퇴, 불편감, 사회적 관심의 부재, 연고관계의 약화, 증가된 신체적 편견과 같이 나타난다. 만성 동통 환자들은 이렇게 알기 어려운 치료를 위해 여러 의사들을 옮겨 다니는 경향을 보인다. 많은 의사들은 이런 사람들을 우울증 환자로 보는데, 이는 이 환자들이 자신을 치료하기 위한 방법도 모르고 인내심도 없기 때문이다. 우울증 환자들은 우울증을 치료함으로써 동통이 상당히 감소된다.[5] 동통의 감소나 소멸이 동통에서 야기된 신경적인 쇠약증세를 호전시킨다는 증거도 있다.[6]

자발적 · 반응적 동통 행위

Fordyce는 질병 모델을 동통 학습 모델로 대체하는 것의 장점을 보였다.[7] '질병 모델'은 찾아서 치료해야 하는 근본 원인을 추론한다. 이것은 문제가 '일련의 증상'으로써 진단되어야만 하는 급성 동통 중 하나일 때 유용하고 필요한 접근법이다. 문제가 원인을 알 수는 있지만, 치료가 어려운 만성적 동통 중의 하나일 때, 질병 모델은 유용하지 않다. 만성 동통에서 치료될 수 있는 신체적인 요소는 없을 수 있다. 그런 상황에서 학습 모델은 더 유용한데, 이는 이 모델에서는 기저에 있는 동통 행동보다는 동통 그 자체가 관심의 초점이기 때문이다. 좋은 예는 '유령 사지 동통(Phantom limb pain)'을 가지고 있는 환자를 치료하는 방법이다. 특수한 자극의 결과로서 일어나는 반응성 동통 행위는 진단과 치료하기가 더 용이하다.

자발적 동통 행위

자발적 동통 행위는 그것에 따르는 환경적인 자극요인에 의해 지배를 받는다. 자발적 동통 행위를 보이는 환자들은 사회적인 관심을 받기 위해 불평하고 신음한다. 자발적인 행위는 조건적이다. 양호한 결과(긍정적인 자극 요인)를 만드는 모든 동통 행위는 반복되는 경향이 크다. 임상에서 사람들은 만성 동통에 시달리는 환자들에게서 자발적인 동통 반응과 반응적인 동통 행위가 섞여 있는 것을 종종 보게 되며, 따라서 동통이 전적으로 심리적이지는 않다는 증거가 된다.

만성 동통을 호소하는 환자들과 정신적으로 문제가 있는 환자들이 동통을 표현할 때 어떤 느낌에 대한 단어들 보다는 감정적인 단어들을 사용하는 경향이 있다. 예를 들면 '둔한', '쑤시는', '쓰라린', '예리한' 등의 단어들보다는 '타는 듯한', '죽을 것 같은', '찢어지게 아픈'과 같은 단어들을 사용하는 것이다.[8] 내 생각에는 환자들이 통증을 겪을 때 괴로워한다는 것을 기억하는 것이 중요한 것 같다. 환자가 괴로워할 때, 그들은 특정한 동통 행위를 보인다. 의사들은 동통이 아닌 그런 동통 행위를 관찰

하고 기억하는 것이 중요하다. 임상가는 급성과 만성 동통 반응을 이해하고 구별할 수 있으며, 그/그
녀는 동통 행위를 계속적으로 강화시킬지도 모른다는 것이 중요하다.

반응적 동통 행위

이러한 행위들은 유해한 자극 때문에 일어나게 되며 일반적으로 자연적 '반사성(reflexive)' 이다.[9]
소리를 낸다던가, 갑자기 움츠려드는 것, 근육의 경직이 그 예이다. 이런 반응들은 고전적인 파블로비
안(Pavlovian) 방법으로 조절될 수 있다. 유해 자극과 짝을 이루는 일정한 자극이 유사한 반응들을 이
끌어낼 수 있다. 예를 들면 최근 이혼 후의 배우자의 존재라든가 병원의 진료실과 같은 것들이다. 두
가지 모두의 경우에서 환자들은 혈압과 맥박이 올라가거나 걱정이나 흥분을 경험하게 된다. 자발적
동통 행위들은 자극제의 결과라는 점에서 다르다.

동통의 시간적 형태(Temporal patterns of Pain)

환자의 통증의 심도가 일정한지, 아니면 증가 혹은 감소하는지 또는 간헐적인지를 평가하는 것이 도
움이 된다. 통증이 간헐적이라면 의사는 그 시간이 얼마나 되는지 물어봐야 한다 -몇 분, 몇 시간 혹은
며칠이나 되는지? 아니면 불규칙한가? 통증이 자세나 행동, 감정, 사건, 날씨 또는 다른 어떤 이유에 의
해서 줄어들거나 늘어나는가? 통증이 시작된 후 얼마나 지속되는가? 근본적인 원인이 무엇이었나? 이
런 답들이 환자가 급성 혹은 만성 동통 질환을 가지고 있는 것인지, 아니면 감정적 동통 행위들을 보이
는 것인지를 판단하도록 도와줄 것이다.

갑자기 시작되어 사라지는 짧은 기간 동안 지속되는 간헐적 통증은 일반적으로 신경 손상의 원인이
다. 다른 동통은 예를 들어 혈관성 동통 같은 것은 지속적이다(예를 들어 편두통). 근육통도 지속적이
지만 근육이 당기는 통증이 나타나며, 몸의 일부분의 기능이 감소된다. 어떤 행동에 동반되어 즉각적
으로 나타나지 않고 몇 시간 후에 따라오는 통증은 일반적으로 근육에 원인이 있다.

긴장성 두통이 직업적 스트레스와 관련된 경우 두통은 주말이나 휴가 때 줄어들거나 사라진다.

심리학적인 요소(The Psychological Component)

지금까지 명확히 밝혀진 바에 따르면 만성 동통은 걱정이나 우울한 상태와 연관성이 있다.
Spielberger[10]와 Beck[11]은 이 두 가지 문제를 검사하기 위해서 특별한 목록을 만들었다. 두 가지 모두
대개 침울증(hypochondriasis)과 연관되어 있다.

정신과 의사들은 동통 환자들, 특히 만성 동통 환자들을 진단하고 치료하는데 중요한 역할을 한다.

MMPI(Minnesota Multiphasic Personality Inventory)와 같은 추가적인 검사들은 성격장애를 진단할 때 중요한 자료를 제공한다. 그러나 현실적으로 이런 추가적인 질문사항들을 부여하고 수정하고 평가하기 위해 시간을 가지거나 그런 교육을 받는 의사는 거의 없다.

이 말이 나오니 필자가 미네아폴리스의 저명한 심리학자인 Dr. Loren Pilling을 만나서 다음과 같은 질문을 했던 것이 생각난다.

"MMPI 질문지 없이도 환자가 우울증이나 근심 장애로 고통을 받는지 진단하는 것이 가능합니까?"

그는 곧바로 대답했다.

"물론입니다. 기록이나 문서에 있어서 사람들은 MMPI나 그에 상응하는 무엇을 요구하길 원합니다. 그러나……"

그는 계속해서 말했다.

"만약 내가 당신이라면 나는 환자를 인터뷰하러 갈 때 나의 임상적인 느낌을 따를 것입니다. 당신이 환자와 대화한 후에 자신이 우울해지거나 너무 불안하다면, 환자는 대개 우울하거나 불안한 상태인 것입니다."

이와 같이 환자와 이야기를 해본 후에 얻게 되는 정보는 일반적으로 환자가 우울한 상태인지 불안한 상태인지를 나타내 줄 것이다. 만약 검사자가 보기에 환자가 통증을 견디기 위한 또는 치과 치료를 받기 위해 필요한 적응력이 없는 것으로 여겨지면, 훈련된 행동 정신과 의사에게 의뢰해야만 한다. 환자가 자신의 통증의 원인이 치과 치료에 국한된 것이라는 것을 이해할 때만이 splint 치료가 성공적일 것이다.

TMD 환자들의 특성

30년 이상 TMD 환자를 평가하고 치료하면서 TMD 환자만의 특성이 있다는 것이 필자의 의견이다. 대부분이 강박관념에 사로잡혀 있는 것을 봤다. 그들은 자신들로부터 더 많은 것을 요구하는 완벽주의자들이다. 이들이 다른 사람들, 그들의 피고용인이나, 친구들, 그리고 배우자들에게도 똑같은 것을 기대할 때 문제가 발생한다. 그들은 다른 사람들이 그들의 강박관념에 사로잡힌 그 기대를 충족시켜 주지 못할 때 좌절하거나 심지어 화를 낸다. 그들이 분노를 소리 내어 밖으로 표출하는 것은 사회적으로 용인되지 않기 때문에, 그 분노를 안으로 눌러 넣는다. 이렇게 억눌려진 분노나 좌절이 결국에는 우울증으로 보일 수 있다. 그들에게 스트레스를 주는 원인들에 적응하는 방법을 배우는 것이 중요하다.

필자는 필자의 강의에서 이렇게 이야기하길 좋아한다. "스트레스와 삶의 분노에 적응할 수 있는 사람들을 생존자라고 부른다. 그렇지 못한 사람들은 환자라고 불린다."

필자는 감정적 동통반응을 보이는 만성 동통 환자의 대부분을 정신과 의사보다는 심리학자에게 보내기를 좋아하는데, 이유는 그들을 치료할 때 투약은 거의 필요 없기 때문이다. 의사가 다음과 같은 것들을 이해하는 것이 중요하다.

1. 왜 환자가 정신과 의사나 심리학자에게 의뢰되는가?

2. 언제 심리학자에게 의뢰하는가?

3. 어떻게 심리학자에게 의뢰하는가?

4. 환자가 심리학자를 만나기 싫어할 때 어떻게 해야 하는가? (필자는 환자를 기록된 환자로 받아들이기를 거부한다. 환자는 어디서나 도움을 구해야만 할 것이고, 심리학자에게 가야만 할 것임)

신경학적 · 정신적 상태의 평가 요약

I. 정신적 상태

A. 우울

1. 전반적인 분위기 - 슬픔, 무표정함, 정상적인 생기가 없음

2. 생활에서 스트레스를 주는 것들

a. 식욕

b. 성적인 갈망

c. 변비

d. 불면증

e. 자살에 대한 생각

B. 정신이상(Psychosis)

1. 매우 내성적으로 보임.

2. 정상적인 생기가 없음.

3. 흥분적인 그리고 변덕스러움.

4. 별난 망상

5. 환각

C. 변화된 감각 중추

1. 대부분 약이나 알코올 중독에 의해 일어나는 급성이나 아급성의 전반적인 두뇌 기능의 손상, 그러나 두개 내 질환이나 다른 의학적 질병에 의한 것은 거의 없음

2. 횡설수설하고, 잘 잊어버림

3. 집중력 불량 - 두서없고, 혼란스럽고, 무기력함.

4. 기억력 검사 - 3개의 물체 - 물체 3개의 이름을 알려주고 5분 후에 물어보라. 세 개의 물체가 무엇인가?

　　D. 치매

　　　　1. 전반적인 만성 두뇌 손상(노쇠)

　　　　2. 알츠하이머 병

　　　　3. 기억력 검사 사용 (위에서 기술한 것과 같이)

　　E. 실어증

　　　　1. 신경성 언어 장애의 가족력

　　　　2. 유용한 검사법들은

　　　　　　a. 'No ifs, ands of buts' 를 반복하는 능력

　　　　　　b. 일반적인 물체들의 이름을 부르기

　　　　　　c. 3가지 명령에 따르기. 예를 들어 눈을 감고, 입을 벌리고, 왼손으로 오른쪽 귀를 만져라.

　　F. 불안

　　　　1. 어떤 사람들은 여전히 통증이 남아 있기 때문에 불안하다

　　　　2. 대부분은 통증이 어떻게 될지가 불안하다.

　　　　3. 이런 사람들은 심각해지는 경향이 있다. - "종양인가요? 악성인가요? 내가 죽나요?..."

　　G. 무관심

　　　　1. 생기 없는 외모와 멍한 상태, 치명적인 신체적 질병에 대한 토론, 히스테리적 특성과 심리
　　　　　　적 변화 반응을 보인다.

　　　　2. 이 증후군은 금욕주의나 수줍음과 구분하기가 어렵다.

　　H. 두개 신경들('두개 신경 평가' 참고)

참고문헌

1. Sternbach, R., The Psychology of Pain, 1980. Raven Press, New York, p. 243-245.

2. Huskesson, The visual analog scale, 1976.

3. Melzack, R. The McGill pain questionnaire: major properties and scoring methods. Pain, 1:227-299, 1975.

4. Sternbach, R. p 243-245.

5. Taub, A., Collins, W.F., June, 1974, "Advances in Neurology", Vol. 4, Int. Symposium on Pain, Raven Press, New York, p. 309-316.

6. Fordyce, W.E. Behavioral Methods For Chronic Pain and Illness, St. Louis, CV Mosby, 1976.

7. Fordyce, W.E. et al. Some implications of learning in problems of chronic pain. J. Chronic Diseases, 1968, 21,174-190.

8. Meszack, R. Editor, Pain Mangement and Assessment, New York, Raven Press, 1983.

9. Barber, J. Psychological Approaches to the Management of Pain, Brunner/Mazel, Inc. New York, 1982.

10. Spielberger, An inventory for measuring anxiety.

11. Beck, A.T, et al. An inventoryy for measuring depression, Archives of Gen Psychiatry, 1961,4,56-571.

12. Fricton, J. TMJ and Craniofacial Pain: Diagnosis and Management, Ishiyaku Euroamerica, Inc. 1982, 40-42.

Chapter 9

측두하악관절 기능장애와 연관된 이학적(otologic) 이상의 감별진단

　측두하악관절의 내장증과 관절증은 한 가지 요인으로 나타나는 경우가 거의 없으며, 중복되는 다양한 임상적 증상과 증후들을 나타내는 복합적인 질환의 일부로써 나타난다. 측두하악관절의 기능장애를 가지고 있는 대부분의 환자들은 다음의 증후들 중 한 가지 또는 여러 가지에 대해 불평을 나타낸다 : 귀 부위의 통증, 코막힘 그리고 귀에 뭔가가 차있는 느낌, 청각 상실, 현기증, 어지러움, 그리고 이명.

　치과의사는 이런 증후들을 자주 접하면서 측두하악관절 기능이상과 이런 귀의 증상들 사이의 직접적인 원인과 효과의 관계에 대하여 생각하게 된다. 필자는 거의 직접적인 원인과 효과 관계가 없다는 것을 보아왔다.

　정확한 진단을 내리고 성공적인 치료를 수행하기 위해 치과의사는 관련 구조의 해부와 생리를 이해할 필요가 있다. 이 단원의 목적은 치아 또는 측두하악관절 통증과 흔히 혼동되는 이비인후과 질환들에 대해 설명하고, 고찰하며, 그것을 적절하고 간결한 형태로 제시하기 위함이다.

　이 단원은 귀의 3가지 부분에 대한 간단한 묘사로 시작되고, 증상에 근거한 진단과 치료의 접근에 대한 것이 뒤를 따른다. 이러한 접근법은 일차적으로 동통의 원인이나 근거를 인지하는데 초점을 맞출 것이다. 이는 이비인후과 의사, 신경과 의사, 또는 일차적인 내과의사에게 의뢰할 시기를 이해하기 위해서이다.

귀 : 응용 해부

　귀는 세 개의 독립된 부분으로 나뉜다 : 외이, 중이, 내이

외이

외이공(external auditory meatus)

외이공은 길이가 약 25㎜이고, 외측 1/3은 연골로, 내측 2/3은 뼈로 이루어진 골격을 가지고 있다.

내면의 피부는 매우 얇고, 끈적하며, 민감하다. 외이공의 내측 끝부분에는 이물질들이 모일 수 있는 함몰 부위가 있다.

고막(tympanic membrane)

고막은 얇은 섬유성 막으로 피부, 섬유성 조직, 점막으로 이루어져 있다. 고막은 몇 가지 중요한 기능을 수행한다 : 첫째로, 중이 공간을 외이공간으로부터 차단한다 ; 둘째로 소리를 모아서 내이의 타원형 창으로 선택적으로 전송한다 ; 셋째로, 음파로부터 원형창을 보호한다. 필자는 해부에서 원판후부 결합조직에서 추체고실열을 거쳐 고막의 끝 부위에 부착되어있는 섬유성 부착을 보여주었다.

중이

고실강(tympanic cavity)

고실강은 고막의 내측에 위치하며, 대략 높이 15㎜, 전후방으로 15㎜의 공기를 담고 있는 공간이다. 물론 부분적으로 깊이가 2㎜밖에 안 되는 곳도 있다. 중이는 망치골(malleus), 모루골(incus), 등자골(stapes)로 이루어진 고실작은뼈고리(ossicular chain)를 가지고 있다. 그들의 기능은 고막에서 발생된 기계적인 에너지를 공기가 차있는 중이를 지나서 액체로 차있는 내이까지 전달하는 것이다.

두개의 중이 근육이 있다 : 등골근(stapedius)과 고막장근(tensor tympani)

등골근(stapedius)

등골근은 얼굴 신경관에서 기시되어 등자골의 목 부위에 연결된다. 7번 뇌신경의 지배를 받는다.

고막장근(tensor tympani)

고막장근은 유스타키오관의 상부 반관(semicanal)에서 기시해서 망치골의 목 부위로 연결되고, 제5 신경의 지배를 받는다. 이 근육들은 고실작은뼈고리와 고막의 유연성을 감소시키고 강한 청각 자극이 있을 때 보호작용을 할 수 있다고 생각된다. 이 근육과 tinsa paletmic은 귀가 막힌 듯한 느낌이 들게 한다. 이것은 '이차적 흥분 효과' 라고 불린다. 이 감각은 스플린트 치료나 투약(발륨)에 대해 양호하게 반응을 보인다.

내벽(medial wall)

내벽은 안면 신경과 원형, 타원형 창과 외측 반고리관이 자리잡고 있다. 고실은 전후방으로 mastoid antrum, 그리고 측두하악관절의 시상면 X-ray에서 명확히 보이는 aircell과 개통되어있다.

유스타키오 관(eustachian tube)

유스타키오 관은 비인두와 중이를 연결하고, 중이에 공기를 공급하는 역할을 한다. 비록 이 관이 유아 때는 더 수평적일지라도 성인이 되면서 더 수직적으로 발달하고, 분비물과 염증이 고실강으로 들어가는 경우는 드물다. 이 관은 정상적인 경우 닫혀있게 되고, 연하 시에 구개근육들에 의해 개통된다.

내이

내이는 외측의 골성 내이(labyrinth)와 내측의 막성 내이의 두 부위로 나뉜다 : 청각 부분 또는 달팽이관, 그리고 세 개의 반고리관으로 구성된 전정 내이.

달팽이관의 기저막은 주파수 분석기의 역할을 한다. 고주파음은 달팽이관의 기저 부위에서 감지되며, 저주파음은 첨단부위(apical end)에서 감지된다.

임상가는 perilymph는 막성 내이와 골성 내이로 나뉘고, endolymph는 막성 내이를 채움을 주목해야 한다. 몸의 움직임에 의한 내이액의 위치 변화는 섬모세포를 자극해서 어지러움을 일으킨다.

이 단원은 측두하악관절과 공통적으로 관련된 이염(otitis), 상악동 감염, 청각 상실, 이명, 현기증과 같은 질환들에 대한 토론에 초점을 맞출 것이다.

감염

외이염(otitis externa)

이것은 일반적으로 박테리아성이며, 외이 피부에 일어나는 감염이다. 또한 수영선수의 귀 또는 귀 곰팡이로 알려져 있다.

증상 : 외이도는 감염의 일차적인 부위이며, 마르고, 벗겨지는 피부, 발적, 악취나는 분비물, 그리고 측두하악관절의 촉진 시 통증, 이주(tragus) 또는 귀의 움직임을 보인다. 외이염은 국소적인 박테리아성 또는 진균성 감염이다.

치료 : 이비인후과 전문의에게 의뢰하는 것이 추천된다.

급성중이염(acute otitis media)

이것은 중이의 감염이다. 아이들에게 호발하나 모든 연령대에서 볼 수 있다. 사춘기에 인두부의 구조가 성장하고 발달함에 따라 빈도가 감소되는 경향을 보인다. 아이가 성장함에 따라 유스타키오관이 길어지고, 그 인두측 개구부가 후방으로 이동하며, 결국 비인두 부위의 박테리아가 중이로 들어가기가 점차 어려워진다.

증상 : 일차적인 증상은 극심한 귀의 통증과 발열이며, 이후에 귀를 천공하면 화농성 삼출액이 나온다. 다음과 같은 사항으로 외이염과 구분할 수 있다: 더 높은 열이 난다; 몸이 더 오한이 난다; 그리고 외이염보다 귀의 움직임이나 이주의 촉진에 통증이 덜하다.

치료 : 항생제 투여하며, 드물지만 중이 부위가 전반적으로 염증이 있고 부은 환자의 경우 myringotomy를 한다.

장액성 중이염(분비성 중이염)(seroug otitis media, secretory otitis media)

장액성 중이염은 어린 나이에 청력을 상실하는 주 원인이다. 중이에 삼출액이 축적됨에 따라 청각 상실을 일으킨다. 중이에 삼출액이 모이면서 거의 항상 유스타키오관을 막게 된다. 비록 박테리아가 염증을 일으키고 막을 수도 있지만, 모든 연령대에 있어서 알레르기 요소가 유스타키오관을 막는 주된 원인이다.

증상 : 일차적인 증상은 중이에 삼출물의 축적과 청각의 상실이다. 통증은 별로 없고 이차 감염 시만 존재한다.

치료 : 이비인후과 의사가 즉각적인 증상을 줄이고, 알레르기 경향에 대한 평가를 위해 직접 치료를 해야 한다. 청각 상실의 문제를 줄이기 위해서 중이를 팽창시키거나(inflated) 삼출액이 밖으로 흘러나오도록 하는 튜브를 위치시키고, myringotomy를 할 수 있다.

청각 상실

청각상실이라는 용어가 귀머거리(deafness)라는 용어보다 선호되는데, 이는 후자의 경우 어떠한 소리도 들을 수 없다는 의미이기 때문이다. 청각 상실의 두 가지 형태는 전도성 청각 상실(conductive hearing loss)과 감각신경성(sensorineural) 청각 상실이다.

전도성 청각 상실 : 전도성 청각상실은 달팽이관, 8차신경, 뇌가 정상이라면 외이나 중이의 병소에 의해 일어날 수 있다. 병소는 소리가 달팽이관으로 전도되는 것을 방해하며, 이는 섬모세포의 적절한 자극을 방해한다. 적절한 치료를 하면 환자는 정상적인 청각을 회복할 수 있다.

감각신경성 청각 상실 : 이러한 형태의 청각 상실은 달팽이관, 8차신경, 또는 뇌에 병소가 있을 때 일어날 수 있다. 이 병소는 말을 이해하는데 심각한 문제를 야기시킬 수 있다. 대부분의 경우, 감각신경성 청각 상실은 영구적이다.

동염

동염은 비강의 부속동(accessory sinus)의 점액성 내막에 박테리아가 침입한 것이다. 급성 동염은 일반적으로 상기도염에 의해 일어나지만, 치아 감염이나 외상 또는 종양에 의한 이차적인 감염도 가능하다. 사골동(ethmoid sinuses)과 상악동이 가장 자주 발생하는 부위이다.

증상 : 임상증상과 증후는 발열, 발적, 감염된 부비동 위를 직접 덮고 있는 피부 부위의 동통, 배농, 귀의 충만감, 이환된 부비동의 방사선학적 얼룩이다. 상악동은 가장 빈번하게 측두하악관절과 근육 수축성 동통과 유사하게 나타나는데, 이는 측두하악관절과 위치 상 가깝다는 점과 촉진 시의 동통 때문이다.

현기증과 어지러움증

현기증(dizziness)와 어지러움(vertigo)은 동의어가 아니며, 혼동해서 사용되면 안 된다. Dizziness는 환자가 "내가 움직이고 있는 것처럼 느껴진다"고 표현하는 것이다. Dizziness는 공간 관계에 대한 비정상적인 지각이며, 머리가 움직이는 것 같은 느낌을 느끼는 불안정한 느낌이다.

Vertigo는 환자가 "방이 움직이는 것처럼 느껴진다"고 표현하는 것이다. Vertigo는 움직임에 대한 환상 또는 환각이며, 외부 세계가 환자 주변을 회전하고 있는 것처럼 느껴지거나(objective vertigo), 그 자신이 공간에서 회전하는 것처럼(subjective vertigo) 느낀다. Vertigo는 내이의 질환으로부터 생기거나, vestibular center의 교란이나 중추 신경계에서 전달경로의 이상으로 발생할 수 있다.

신체적 균형은 내이, 눈, 심부감각기관, 특히 목의 심부감각기관으로부터 뇌로의 정보전달에 의해 유지된다. 이런 모든 증상에 있어서 기능이상은 불균형을 발생시킬 수 있다.

내이의 주변에 발생한 병소는 거의 치명적이지 않지만, 내이 중앙에 생긴 병소는 치명적일 수 있으므로 초기 진단이 매우 중요하다.

어지러움증이나 현기증을 보이는 환자를 평가할 때 치과의사의 역할은 정확한 병력 획득과 뇌신경 검사, 얼굴과 목의 근육에 대한 검사를 하는 것이다. 병력은 환자가 움직임에 대해 어떻게 표현하는가, 예를 들어 objective vertigo인가 subjective vertigo인가에 관련된 정보와 걸음걸이와 서 있을 때의 장애에 대한 평가, 그리고 환자가 이명이나 청각 상실을 보이는지에 대한 정보가 포함하고 있어야만 한다.

Dizziness와 Vertigo의 가장 흔한 원인들 중에는 저혈당과 Meniere's disease, 이명이 포함된다.

저혈당

저혈당 환자는 거의 회전성 Vertigo를 보이지는 않지만, 허약함과 이리저리 주변을 움직이는 점을 볼 수 있다. 전형적으로 저혈당 환자는 늦은 아침이나 늦은 오후, 예를 들어 식사 후 3.5~4시간 정도 되었을 때 증상이 나타난다.

내과의사들이 말하는 저혈당의 가장 일반적인 경우는 인슐린이나 구강 sulfonylureas를 필요로 하는 당뇨환자가 그 직후 아무것도 섭취하지 않았을 때임을 기억해야 한다. 당뇨의 치료법에는 투약 후 1.5시간 내에 또는 식사하기 더 좋은 때에 무엇을 먹도록 지시하고 있다.

Meniere's disease

Meniere's disease는 성인에서 나타나며, 일시적이다. 그 정확한 원인은 알려지지 않았지만, 스트레스나 스트레스 받는 상황을 견디지 못함으로써 나타나는 것으로 보인다. 근본 원인은 endolymphatic hydrop이다.

Meniere's disease를 가지고 있는 환자는 한쪽 귀에 충만감, 같은쪽 귀의 청각 상실과 이명, 그 후에는 무력화시키는 Vertigo를 나타낸다. Meniere's disease는 이 세 가지 증상을 가지고 진단한다.

Vertigo는 주변이 회전하는 듯이 느끼고, 오심과 구토를 동반한다. 다른 원인으로는 labyrinthitis(바이러스성 혹은 박테리아성), 청각 신경종(8번째 신경의 종양), vertebro Basilar Syndrome- 한쪽 방향으로 머리를 돌릴 때 vertigo가 생기지만, 반대방향으로 돌릴 때는 생기지 않는 경우(basilar arteries와 vestibular nuclei로의 혈압 감소를 동반한 vertebral artery의 압박으로 인해 기인됨)가 있다.

지금까지 치과의사는 dizziness나 vertigo가 심각한 질환의 증상일 수 있고, 기질적 근원은 없다고 이해했을 것이다. 의심스러운 경우 이비인후과 전문의, 신경과 전문의, 일차적인 내과 전문의에게 의뢰하는 것이 현명한 판단이다.

이명

귀에서 잡음이 들리는 이명은 나이가 많은 환자에서 일반적으로 나타나며, 치료하기가 어렵다. 이명은 지속적으로 나타나기도 하고 간헐적으로 나타나기도 하는데, 그 강도와 특성이 매우 다양하다. 조용한 곳에 있을 때 더 잘 느껴지며, 피로, 근심, 우울한 상태에서 더 악화된다. 이것은 질환은 아니고, 증상 중 하나이다(P. D. Bull).

전반적 · 국소적 원인들

1. Presbycusis- 귀의 노화현상 중 하나가 섬모세포의 손실이다. 이는 감각신경성 청각 상실을 일으키며, 결과적으로 이명을 동반한다.
2. Meniere's disease
3. 소음으로 인해 들리지 않는 현상(noise induced deafness)
4. 어떤 원인으로 인한 발열

5. 심혈관질환- 고혈압, cardiac failure

6. 혈액질환- 빈혈

7. 신경질환- multiple sclerosis, neuropathy

8. 약물 치료- 아스피린 치료, 이독성(ototoxic) 약물

9. 알콜 중독

이명은 일반적으로 다른 사람들에게는 들리지 않으므로, 주관적이나 아주 드문 경우 다음과 같은 이유로 객관적인 증상이 된다.

1. Tensor tympani, stapedius, tensor veli palatini muscles의 간대성 경련 수축

또는

2. 두경부 순환계를 통한 혈류의 흐름

요약

비록 이 단원에서 언급되어진 질환들 각각에는 특수한 원인이 있는 것으로 보일지라도 그만큼의 다른 가능성들도 있다는 것을 임상가들은 명확히 해야 한다. 측두하악관절 장애(내장증)와 귀의 질환들 사이에 알려지지 않은 안 좋은 원인과 효과가 있으며, 더 나아가 측두하악관절 장애는 현기증, 이명, 청각 상실을 일으키지 않는다고 일반적으로 말할 수 있다.

비록 많은 질환들이 순수하게 귀 자체의 문제로 보일지라도, tensor tympani, stapedius, 다른 인두부 근육의 수축이 먼저 영향을 주었던 것들보다 큰 역할을 할 수 있다. 이 단원에서는 다루지 않은 다른 요소들에는 예를 들어 우울증, 근심, 비정상적 습관과 같은 감정적 또는 정신적인 상태가 중추에 주는 영향을 들 수 있다.

측두하악관절과 이학적 증상(otologic symptom) 사이에는 관계가 있는 것처럼 보이지만, 최근 논문과 해부학적 연구들은 직접적인 원인과 효과를 밝히지 못했다.

우측 귀와 측두골의 coronal section

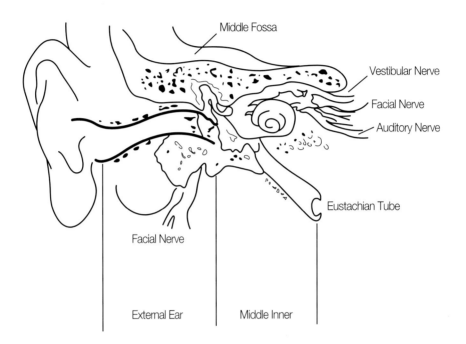

참고문헌

1. Ausband, John R., Ear and Throat Disorders, a Practitioner's Guide. Medical Examination Publishing Co., Inc, New Uork, 1974. pp.9-76.

2. Bull, P.D. "Lecture notes on Diseases of the Ear, Nose and Throat", Sixth Ed. Blackwell Scientific Publications, Oxford, 1985. p.22-64.

3. Clemente, Carmine., Anatomy Text, Second Ed., Urban and Schwarzenberg Inc., Munich, 1983. p.687-715.

4. Rohan, J. and C. Yokichi., Color Atlas of Anatomy, Igaku-Shoin, Tokyo, 11983. p.98-102.

5. Wilson, W. and J.B. Nadol. Quick Reference to Ear, Nose and Throat Disorders, Lippencott, Philadelphia, 1983. p.1-71, 113-145.

Chapter 10

측두하악관절 기능장애와
혼동되기 쉬운 안면 동통 장애

서론

측두하악관절 장애는 단독으로 발생되는 경우는 극히 드물며, 일반적으로 중첩되는 다른 증상들과 함께 여러 가지 원인으로 기인된 장애의 일부로 나타난다. 이런 증상들은 정확하고 포괄적인 진단을 하기 위해서 감별되어야 한다.

이 장애의 다원인적인 특성은 여러 가지 관련된 진단들과, 근육 수축에 의한 통증과 측두하악관절 장애를 위한 물리적 치료와 같은 여러 가지 서로 관련된 치료방법들이 필요하다는 점에 있다 ; 측두하악관절 통증과 장애를 위한 스플린트 치료 ; 그리고 만성 동통과 동통 행동 수정을 위한 심리학적인 조언.

이 단원의 목적은 두경부와 안면에 통증을 나타내며, 측두하악관절 장애와 혼동되는 여러 가지 동통 장애들에 대한 개요를 제시하는 것이다. 안면 동통에 대한 포괄적인 연구 보고들을 말하기보다는 임상 치과의사를 위한 임상적인 개요를 말하고자 한다.

두경부 동통을 치과적인 접근에만 국한되어 생각할 경우, 대부분의 환자에게 있어서 오진되거나 스플린트나 필요하지 않은 수술과 같은 여러 가지 비싼 치료들을 시행하게 될 위험성이 있다. 사실 치과적인 이유와 이러한 술식에 있어서의 정확한 적응증이 있다. 그러나 숙련되지 않는 솜씨로 시행된다면, 고통만 증가시키거나 치료로 인한 질환을 더 만들기만 할 것이다.

치과의사만이 잘못인 것은 아니다. 다른 의료계 종사자들도 측두하악관절 장애에 대해서 잘 알지 못하며, 측두하악관절을 한 번 촉진 · 청진하여 진단한 경우 두개부나 부비동 방사선 사진을 촬영하고, 항생제, 진정제, 항우울제, 마취제 등을 처방하고 있다. 치과의사는 측두하악관절을 지지하고 둘러싸고 있는 구조물들의 해부와 생리를 완벽히 이해하고 있어야만 한다. 정상이 무엇인지 이해하는 것에서부터 정상과 다른 변이를 인지하는 것을 시작할 수 있다. 정상과는 다른 변이를 인지할 수 있어야 동통 발생의 원인과 기전을 규명하는데 도움을 받고, 정확한 치료를 수행할 것이다. 측두하악관절 장애 환자들은 일반적으로 다음과 같은 일련의 증상과 증후를 한 개 이상 가지고 있다. 이러한 증상이 없다는 것은 측두하악관절 이외의 어떤 장애가 통증을 유발한 것일 수 있다는 것을 나타낸다.

· 측두하악관절의 촉진 시 통증
· 하악의 운동과 함께 또는 운동 없이 생기는 측두하악관절의 통증

· 하악 운동시 관절음 : 관절잡음(clicking), 거대관절음(popping), 염발음(crepitation)[1]
· 40㎜까지의 개구제한, 또는 개구시 하악의 측방변위[1]

많은 동통 장애들이 측두하악관절 장애와 혼동된다. 이러한 주된 4가지 장애는 근육 수축 동통, 신경성 동통(중추 신경성 제외), 혈관성 동통, 이통(otologic pain)이다.

이 단락에서는 제시하지 않았으나, 반드시 언급되어야 하는 두 가지 다른 범주에는 임상 치과의에게 일차적인 책임이 있는 치통과 심인성 동통이다. 심인성 동통은 Pilling이 그의 논문「만성 통증 : 극심한 스트레스」에서 명료하게 설명하고 있다.[2]

근육 수축 동통

적절한 휴식 기간 없이 지속적으로 수축되는 안면과 목의 근육은 근육 자체 내에서 통증을 일으킬 수 있다. 이런 근육들은 근육 내에 측두하악관절 주위의 다른 영역으로 통증을 전파시킬 수 있는 통증의 시발점을 형성할 수 있다.

근육 통증은 측두하악관절과 자주 혼동되는 장애이고, 지속적인 근육 수축 또는, 동통성 근긴장의 결과인데, 이는 이를 악무는 습관이나 이를 가는 습관이 있는 환자들에게서 나타난다. 또한 하악의 외상성 손상 또는 목과 머리의 불량한 자세의 결과로 나타난다.[3,4,5]

근육 수축성 통증에서 환자는 전반적으로 둔한 통증과 욱신거림, 그리고 주변부가 당기는 증상을 호소할 것이다. 두뇌가 동통의 위치를 파악하는 능력은 다양한데, 동통 부위가 표면에 가까울수록 정확하고, 심부로 들어갈수록 부정확하다.

종종 심부의 통증은 정상 구조물에서도 느껴진다.[6] 외상성 손상이 원인인 경우에 외상 기간이 오래됐을수록 통증도 더욱 지속적일 것이다.

Bell은 뛰어난 통찰력을 가지고 다음과 같이 말했다.

"비록 통증 강도가 치료를 빨리 시행해야 한다는 것과 관련되어 있기는 하지만, 통증 원인의 중요성에 대한 정확한 척도로 여겨져서는 안 된다."

임상적인 예로 아주 극심한 통증을 호소하면서 통증이 4년 이상 지속되었다고 말하는 환자가 있었다. 의사는 통증이 나타나는 시간 동안 환자가 겪는 실제적인 통증의 강도를 물어봐야 한다. 통증이 지속된 시간은 환자를 검사하고 있는 치과의사에게 통증의 근골격적인 역학뿐만 아니라, 정신적 역학에 대해서도 고려해야만 한다는 것을 알려주게 된다.

이갈이와 같은 비기능적 습관은 여러 가지 문제들 또는 구강 내 문제들에 있어서의 원인 요소들에 의해서 영향을 받으며, 여기에는 근막동통과 측두하악관절 장애가 포함된다.[7] 치과의사가 이런 전반적인 근육의 압통이 측두하악관절 장애를 일으킨다는 것을 아는 것은 중요하다. 이악물기와 이갈이는 관절에 악영향을 주는 하중을 가할 수 있고, 이로 인해 관절 변이, 천공, 개조를 일으킨다.

만약 이러한 통증들이 이마와 측두부의 근육에 영향을 준다면, 환자는 긴장성 두통이나 근육 수축성 통증을 느끼게 된다.[8] Rieder는 1,000명 이상의 환자를 상대로 행한 조사에서 여성의 24.5%, 남성의 10.6%가 그들의 주된 불편사항 중 하나로 만성 두통을 꼽았다는 것을 보여주었다.[9] Cailliet는 지속적이고 강한 긴장성 수축이 다음과 같은 것을 야기할 수 있다고 보고했다.

1. 허혈성 기저부위 위에서 통증이 있는 긴장성 근염
2. 신장되었을 때 통증을 유발하는 근육의 섬유성 요소의 적응적 수축으로 근이완성 경축(myostatic contracture)의 증가
3. 기시부에서 골막의 근막 신장 자극
4. 신장의 실패로 인한 facet capsule의 thickening
5. 영양 공급에 치명적인 디스크의 지속적인 압박[5]

TMJ 장애와 일반적으로 혼동되는 통증을 일으키는 근육들은 내측 익돌근(전방섬유), 외측익돌근(전후방섬유), 이복근(후방섬유), 측두근(모든 섬유), 삼각근(삼각 융기선을 따라서), 흉쇄유돌근(sternal과 clavicular 부위), 후방경근, 두판상근이다.

연관통 형태들

교근, 내측과 외측 익돌근; 후부 이복근, 그리고 측두근의 연관통 형태는 다음의 그림들에서 나타난다.[3] 이 근육들로부터 발생되는 연관통은 상악동의 통증과 유사하지만, 항생제와 울혈제거제로 치료가 되지 않으므로 내과의사들에게 혼란을 주는 원인이 된다.

또한 후부 이복근은 측두하악관절과 그 주변 부위로 통증을 전이하며, 귀 아래부위와 하악지의 뒷부분에서 촉진될 수 있다.

이글스 증후군(Eagle's Syndrome)

길어진 경상돌기로 인해 하악 후방 부위에서부터 측두하악관절 부위로 통증이 전이될 수 있다. 이러한 증상을 이글스 증후군이라고 부른다.[10] 길어진 경상돌기가 통증의 원인이라면, 통증은 일반적으로 구부림과 신장, 또한 머리의 회전이나 옆으로 구부리는 행위와 함께 연하작용에 의해서 악화될 것이다. 치과 파노라마 방사선 사진에서 길어져 있는 경상돌기를 확실하게 볼 수 있다.

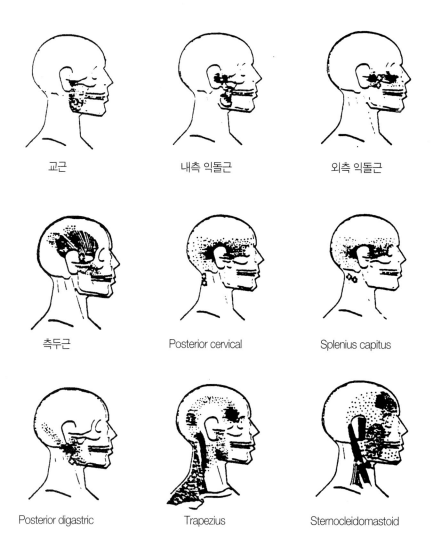

교근   내측 익돌근   외측 익돌근

측두근   Posterior cervical   Splenius capitus

Posterior digastric   Trapezius   Sternocleidomastoid

인대와 근육의 부착

Shankland는 Engust 증후군의 결과로서 유사한 현상을 기술했다. 측두근의 중간과 후방부 섬유들로부터 발생되는 통증은 일반적으로 상악동, 상악 구치부, 측두하악관절에서 발생되는 통증과 혼동된다. 셀 수 없이 많은 신경치료와 발치가 부적절하게 시행된다. 결과적으로 환자는 통증이 있는 부위의 소구치와 대구치를 모두 발거하게 된다.

한 가지 감별진단법은 ethyl chloride나 fluoromethane 스프레이를 이 근육들 위에 뿌려 보는 것이다. 만약 이 부위에서 관절 쪽으로 통증이 전이된 것이라면, 근육을 신장시키고, 스프레이를 뿌리며 마

사지해준 후 10~15초면 통증이 감소될 것이다. 추가적으로 진단을 위한 전달 마취는 통증을 없애지 못할 것이다.

승모근(trapezius), 흉쇄유돌근(sternocleidomastoid), 후방 경근(posterior cervicals), 두판상근(splenius capitus muscles)은 측두하악관절 부위에 통증을 전이할 수 있고, 그림에 나타나 있다.[11] 이런 것은 만성적으로 머리가 앞으로 쏠려있는 자세를 가진 환자와 편타성 손상으로 인한 근육의 splinting을 가지고 있는 환자에서 확실하게 나타난다.

근육 수축성 통증으로 생각되는 경우 전반적인 근육 촉진 검사를 시행하고, 측두하악관절 이외의 원인들을 모두 제거한 후에 스플린트 치료와 같은 측두하악관절의 치료를 시도해야 한다.

신경성 동통

머리와 안면, 그리고 목 부위의 피부절(dermatome)의 평가는 측두하악관절 부위의 주변과 그것을 관통하는 운동신경과 감각신경, 그리고 혼합신경과 같은 많은 신경들을 보여준다.[12]

이러한 이유로, 치과의사는 일차적으로 신경의 침해를 배제하기 위해, 그리고 모든 뇌신경의 반사작용과 반응이 정상인지를 알아보기 위해서 뇌신경을 검사해야 한다(entrapment neuropathies)(신경학 단원 참조).[4]

삼차 신경통

측두하악관절 주변의 신경성 통증 중에 가장 흔하게 접할 수 있는 것이 관절낭에 분포된 신경으로부터 발생되는 통증이다. 신경이 풍부하게 분포되어 있는 관절낭은 관절낭염(capsulitis)에 이환될 수 있으며, 이는 귀 앞부분에 전반적인 통증을 야기한다.

이는 측두하악관절의 골관절염, 류머티스성 관절염, 갑상선성 관절염(gouty arthritis), 건선성 관절염(psoriatic arthritis), 콜라겐 질환의 염증성 단계와 측두하악관절의 외상성 손상에서 흔히 나타난다.[13,14]

보통 5~60초를 넘지 않는 날카롭고 찌르는 듯한 발작성 통증으로 표현되는 신경통은 드물게 볼 수 있다.

이런 통증은 뇌신경의 하나의 영역에 국한되고, 일반적으로 중년에서 노년의 환자에게 이환된다. 그들은 종종 눈물을 흘리거나, 얼굴이 빨개지고 콧물이 나는 등의 자율신경적 증상을 보인다. 가장 흔한 것은 삼차 신경통이다. 삼차 신경통은 초기에 하악의 운동이나 저작에 의해 통증이 시작되기 때문에 측두하악관절 장애와 혼동된다. 그러나 삼차 신경통이 진행됨에 따라 금세 명확한 진단이 내려질 것이다.

설인신경통(glossopharyngeal neuralgias)

　　설인신경통은 연하작용이나 저작과 같은 하악의 움직임에 의해 시작되는 경향이 있어, 측두하악관절 장애와 혼동된다. 연하 시에 발생되어, 측두하악관절 영역으로 전파되는 날카로운 악하 통증은 설인신경통에 의해 야기될 수 있다.

참고문헌

1. Helms, C., Katzberg, R, Dolwick, F: "Internal derangements of the TMJ", Radiology Research and Educatin Foundation Publishers. 1983. P 22-26.

2. Pilling, L: "Chronic Pain: The Ultimate Stress." JCDA P. 33-35. March, 1981.

3. Travell, J; Simons, D: "Myofascial Pain and Dysfunction The Trigger Point Manual" Williams and Wikins, 1983.

4. Tanaka, TT: "Recognition of the Pain Formula for Head, Neck and TMJ Disorders," JCDA, May, 1984.

5. Caillet, R.: "Neck and Arm Pain": Edition 2. FA Davis Co., 1982. P.50-52.

6. Bell, WE: "Orofacial Pains" Yearbook Publishers, Inc, 2nd Ed. 1979. P.4-5.

7. Bryant, PG and Rugh, J.: "Oral Motor behavior: Impact on Oral Conditiona and Dental Treatment." N.I.H Pub. No. 79-1845. Washinton, DC Govt. Printing Office. 1979.

8. Sheon, RP; Moskowitz, RW; Goldberg, VM: "Soft Tissue Rheumatic Pain." Lea and Febiger. 1989. P 28-30.

9. Rieder, C: "Prevalence of Mandibular Dysfunction, Part I" J Prosth. Dentistry, 1981. P 50-81.

10. Alling, DD; Mahan, PE: Facial Pain, 2nd Ed. Lea and Febiger, Philadelphia, 1977.

11. Travel, op. cit. p. 276-277.

12. Clemente, C: "Anatomy". Urban and Schwarzenberg. 1984.

13. Moskowitz, Howell, Goldberg, Mankin: "Osteoarthritis." WB Snunders Co. Chap 2, 29. 1984.

14. Fessel, J.: "Rheumatology for Clinician". Strottan Intercontinental Medical Books Corporation. 1975. P. 46-53.

15. Rose, LF; Kaye, D: "Internal Medicine for Dentistry." CV Mosby. 1983. P. 790-1.

Chapter 11

측두하악관절의 내장증
(Internal Derangement of the Temporomandibular joint)

내장증은 일반적으로 관절 원판과 근육 부착, 그 후방과 측방 부착 기구의 관절낭과 인대의 부착의 위치 이상을 말한다. 임상가는 각 내장증의 물리적인 원인들과 영향에 대하여 이해하는 것이 중요하다. 측두하악관절의 내장증은 관절낭 외 또는 관절낭 내의 장애로 표현된다.

기능장애는 다음과 같은 특징이 있다.

1. 관절잡음(clicking), 거대관절음(popping), 염발음(crepitation)과 같은 관절음들 또는 '폐구성 과두걸림' 환자에서는 무관절음
2. 제한된 개구 또는 관절음의 유무와 함께 개구 시 하악의 편향(deflection)
3. 중심위로부터 측방운동의 제한
4. 하악의 전방운동이 안되거나, 8~10㎜ 최소한의 제한된 운동 또는 하악의 전방운동 시 이환된 측으로의 편향된 운동
5. 하악 운동의 운동 실조증(incoordination)

이런 불규칙적인 운동들은 일반적으로 통증과 기능장애를 동반해서 발생되고, 이러한 증상이 치료되지 않은 채 지속되면 질환으로 이행될 수 있다.

관절음

관절음은 초기, 중기, 말기 그리고 상호적인 것으로 분류될 수 있다. 다음의 수치들은 대략적인 것이다.

관절음 – 개구 시

- 0~12㎜ 초기 개구 관절 잡음
- 12~30㎜ 중기 개구 관절 잡음
- 30~45㎜ 말기 개구 관절 잡음

관절음 – 폐구 시(상호성 관절음)

· 45~30㎜ 초기 폐구 관절 잡음
· 30~15㎜ 중기 폐구 관절 잡음
· 15~0㎜ 말기 폐구 관절 잡음

'관절잡음' : 임상적인 중요성

관절잡음은 청진기를 이용하면 잘 들을 수 있다. 관절음에 대한 검사는 귀에 손가락을 대고 행해서는 안 된다. 귀에 손가락을 대면 손가락이 관절 원판 집합체를 변이시켜 정상적인 경우에 존재하지 않는 소리를 만들어낼 수 있기 때문이다(Tanaka, Okeson).

'관절잡음' 에 있어서 몇 가지 일반적인 원인

1. 과두가 회전이나 활주이동 시 과두의 불규칙한 면이 관절 원판의 불규칙한 면과 마찰될 때
2. 회전운동이나 활주운동 시에 관절 원판이 관절융기를 넘을 때
3. 관절원판과 과두의 위치와 운동에 영향을 미치는 외측 익돌근 상하 힘살의 부조화로 인해 원판 운동이 불규칙하거나 조화롭지 않을 때
4. 관절융기, 관절와, 과두가 관절원판 천공이나 관절 재형성 때문에 해부학적으로 조화롭지 못할 때
5. 과운동 시 : 과두가 관절융기를 넘어 운동했을 때

주목해야 하는 중요한 사항들

1. 하악이 활주이동을 시작하기 전에 회전운동과 함께 개구 순환 과정을 시작하는가?
2. 회전운동이나 활주운동 과정 중에 어느 시점에서 관절잡음이 발생하는가?
   초기, 중기, 말기 중 언제인가? 아니면 개구와 폐구에 모두 나타나는가? 폐구 시 언제 관절잡음이 발생하는가? 초기, 중기, 말기 중 언제인가? 개구 중인가, 폐구 중인가, 아니면 두 번 모두인가?
3. 관절잡음과 연관되어 하악의 기울어짐이 보이는가?
4. 관절음과 관련된 통증이 있는가?
5. 개구는 몇 ㎜나 되는가? 절치 간 간격에다가 절치의 vertical overlap을 추가적으로 측정하라.

만약 개구 시에 통증이나 기능장애의 다른 증상들 없이 초기에 관절잡음이 발생되고, 환자가 적절히 혀를 올리는 자세로 관절잡음을 감소시킬 수 있다면, 관절 원판 변위나 골성 변화의 방사선학적인 증거, 그리고 치아의 불필요한 기능이나 마모가 보이지 않는 한, 일반적으로 스플린트 치료는 추천되지

않는다.

거대관절음(Popping) : 임상적인 중요성

Popping은 청진기를 이용하지 않고서도 들을 수 있다. 'Popping' 은 일반적으로 평행이동 시점 또는 평행이동 시에 발생되며, 과두가 관절원판의 일부분, 보통 전방 관절원판 변위 시 후방 부위를 압박함으로써 야기된다. 과두가 다시 원판으로 튕겨 들어오는 시점에서 popping이 발생한다. Popping이 발생되는 시점에서 일어날 수 있는 하악의 편위뿐만 아니라 개구운동 시에 발생되는 popping의 발생 시점을 주목하는 것이 중요하다. 개구운동 시 중심선에서부터의 편위와 개구량을 ㎜로 검사용지에 기록되어야 한다. 환자가 하악을 좌우로 균일하게 움직일 수 있는지도 주목해야 한다. 우측 측두하악관절이 편위된 환자들은 하악을 좌측으로 움직일 때 통증과 편위를 보인다. 우측 측두하악 관절의 관절낭염 환자는 일반적으로 하악을 좌우로 움직일 때 모두 통증을 느낄 것이다. 급성 측두하악관절 통증에서 적어도 환자의 80%는 두 가지 장애를 동시에 경험한다.

또한 환자들은 일반적으로 오른쪽으로 음식을 씹을 때 탈구효과에 의해서 좌측 측두하악관절에서 관절잡음을 발생시킬 것이다. 내장증이 이환된 쪽으로 저작할 때 만성적 관절 원판 변위의 경우를 제외하고는 일반적으로 잡음은 들리지 않을 것이다.

고려해야 하는 질문들

1. 하악의 운동이 활주운동이 시작되기 전에 회전운동과 함께 하악 개구 과정이 시작되는가? 임상가는 환자가 입을 벌리기 시작할 때 손가락을 이용해서 과두의 외측부위를 느낄 수 있다. 환자가 입을 벌릴 때 과두의 위치가 움직이지 않으면 정상적인 회전운동이라고 본다. 만약 환자가 입을 벌리자마자 과두가 위치이동을 하기 시작한다면 임상가의 손가락에 과두가 관절 융기를 따라 미끄러져 내려가고 있는 것이 느껴진다. 치료시 혀를 위로 올리고 입을 벌리는 운동을 포함시켜야만 한다.

2. 관절잡음이 0~12㎜ 사이의 회전운동 시에 발생되는가?

3. 관절잡음이 12~45㎜ 사이의 활주운동 시에 발생되는가?

4. 잡음이 발생되는 관절을 확인하라(많은 경우 큰 관절 잡음은 반대측에서도 들을 수 있어서 양측성으로 오인되는 경우가 있음). 환자가 하악을 우측으로 움직일 때 좌측 관절을, 좌측으로 움직일 때 우측 관절을 청진하라. 실제로 어느 쪽에서 잡음이 발생하는가?

5. 관절잡음이 일어나기 전에 하악이 한쪽으로 편위되는지 주목하고, 편위의 양을 ㎜로 측정하라.

6. 관절잡음이 일어난 후 최대한 몇 ㎜나 개구되는지와, 피개교합의 양을 측정하라.

7. 이 때 최대 개구량과 피개교합의 양을 ㎜로 측정하라.

8. 폐구 시에 관절에서 관절잡음이 발생되는가?

9. 만약 개구 중기나 말기에 소리가 들리고 폐구 시에는 들리지 않으며 관절 원판의 전방변위가 예상되면, 환자에게 치아가 접촉될 때까지 입을 부드럽게 다물고 치아를 서로 꽉 물라고 요구하라. 이번에는 일반적으로 말기에 관절잡음이 들릴 것이다(치아가 접촉되는 소리가 폐구 말기의 관절 잡음과 겹칠 수 있음).

일반적으로 환자가 스스로 혀의 위치를 위로 올려 개구함에 의해 줄일 수 있는 관절잡음인 경우는 연장된 치료(3개월 이상의)를 포함시킬 필요가 없는 내장증이다.

임상가들은 대부분의 관절원판이 외측 부위부터 먼저 변위된다는 것을 알아야 한다. 초기에 일어나는 반복성 관절잡음들은 외측부위가 변위되었다는 것을 나타낸다. 관절 원판의 내측 부위는 일반적으로 적절한 위치에 남아 있다.

개구 초기에만 들리고, 폐구 시에는 나타나지 않는 큰 관절잡음은 적절한 스플린트 치료와 물리치료에 잘 반응하는 경향이 있다. 개구 후기에 발생되고, 폐구 시에도 반복적으로 나타나는 관절잡음은 일반적으로 원판 변위가 더 심하다는 것을 나타낸다. 적절한 스플린트 치료, 물리치료를 시행하고 환자가 잘 협조한다면, 2~3주 내에 초기 잡음은 사라질 것이다. 그러나 환자는 보다 완벽한 치료를 위해서 3~4개월 동안 스플린트를 계속 사용해야 한다. 원판을 다시 제자리에 잡기 위한 재위치 스플린트 치료 (repositioning splint therapy)는 수개월 동안 지속되어야 한다. 만성적인 증례들에서는 스플린트 치료가 원판을 재위치시키는데 거의 성공적이지 못하다(관절경 단원을 볼 것).

일반적으로 3~4주 동안의 적극적인 물리치료와 스플린트 치료 후에도 관절 원판을 재위치시키는데 실패한다면, 원판은 재위치시킬 수 없다고 알려져 있다.

관절와 내에서의 과두 위치를 측두하악관절 단층촬영을 이용해서 확인해야 한다. 측두하악관절의 측방 방사선 사진(transcranial, Accurad 200)과 파노라마 사진은 측두하악관절의 전반적인 평가를 하는 데는 유용하지만, 측두하악관절의 내장증이나 어떤 병적인 상황을 진단하는 데는 적절하지 않다고 여겨진다. 그런 사진들은 근육장애에는 유용하게 사용된다.

시상면 단층촬영 사진은 가능하면 수정된 SMV(sub-mental-vertex) 사진에 근거를 두어야만 한다. 스플린트의 위치를 평가하는데 필요하다면 중앙 시상면 단층촬영을 사용한다. 목에 관절염이나 통증을 가지고 있는 환자, 그리고 SMV를 촬영하기 위해 목을 뒤로 충분히 젖힐 수 없는 환자의 경우에는 머리를 각 방향으로 20도씩 돌린 상태에서 임시적인 사진을 촬영하는 것이 추천된다.

염발음(crepitation)

'갈리는', '삐걱거리는' 또는 '관절에서 자갈 구르는 듯한' 소리들은 일반적으로 관절원판의 심한 요철, 천공, 찢어짐 또는 유착, 그리고 관절증처럼 보다 침습적인 장애가 있음을 나타낸다. 염발음이나 갈리는 듯한 소리가 나는 경우 반드시 단층촬영을 해야 한다. 골성 관절염으로 진단되었다고 해서 반드시 관절수술을 해야 하는 것은 아니다! 많은 환자들은 스플린트 치료와 물리치료로 치유될 수 있으며, 수 년 간 아무 증상 없이 유지할 수 있다.

관절천자(arthrocentesis)와 관절내시경 수술도 사용 가능한 방법이다. 스플린트의 목적은 관절의 구조들이 성공적으로 재건되도록 하기 위해서 과도한 부하를 줄여주기 위한 것임을 이해해야 한다. 골성 관절염의 많은 경우에 부하를 줄여주는 것이 관절의 연조직과 경조직의 재형성을 돕는다(Mongini, Hansson, Tanaka). 그러나 스플린트 치료는 장기간이 소요되며, 수 년 간 지속될 수도 있다.

임상가는 관절에 질환을 가지고 있는 환자들이 아주 힘들고 고통스러운 시간과 고통이 줄어서 사라진 단계도 겪는다는 것을 명심해야 한다. 특히 환자가 관절염 때문에 장기간 NSAID를 복용한 상태라면 전문적인 류머티즘 전문의에게 환자를 의뢰할 준비를 해야 한다.

용어

스플린트 또는 교정의(orthotic)

정형외과 기구나 장치들은 기형을 지지, 정렬, 보호 또는 수정하기 위해 사용되거나 신체 가동 부위의 기능을 증진시키기 위해 사용된다. 스플린트는 주간에는 생물피드백(biofeedback) 장치로서 기능을 하고, 야간에 수면 중에는 치아를 보호하기 위해 사용된다.

비기능적 부하(adverse loading)

비기능적 부하란 관절에 미치는 부하와 치아에 미치는 부하 모두를 일컫는다. 이는 측두하악관절의 구조물들에 비기능적 영향을 줄만 한 강도나 방향으로 작용하는 근육의 폐구력으로 측두하악관절 구조물에 걸리는 부하를 포함한다.

비기능적 부하의 몇몇 결과들은 다음과 같다.

1. 비기능적 부하는 관절을 압박할 수 있고, 결과적으로 관절원판을 얇게 만들거나 천공시키며, 관절 융기와 관절 과두면의 골성 변형을 일으킬 수 있다.
2. 비기능적 부하는 관절 또는 관절의 일부를 내측, 외측 그리고 전방으로 압박하고, 변위시킬 수 있다. 만약 관절 원판이 전내측으로 변위되었다면 입을 다물 때 관절원판의 후방 부위에 작용하게

되고, 원판의 후방 부위가 얇아지고 뒤틀릴 것이다. 더 전방으로 변위된 경우에는 후방 부착조직
이 과두와 맞닿게 될 것이며, 그 부위는 구조적으로 부하를 받도록 만들어진 곳이 아니다.

3. 비기능적 부하는 관절원판을 얇게 만들고, 찢어지게 하거나 천공시킬 수 있으며, 결과적으로 관
절원판과 관절의 구조물들 사이에 유착을 야기할 수 있다.

비기능적 부하에 대한 조직학

비기능적 관절 부하는 항상 이악물기와 이갈이와 같은 교합이상기능의 결과로서 발생한다. 또한 외
상이나 드물게는 전신질환의 결과로 일어날 수도 있다. 측두하악관절의 비기능적 부하는 골관절증을
일으킬 수 있다(측두하악관절 구조물의 통증 없는 변형).

Magid는[1] "연골의 형성과 변성 사이의 불균형으로부터 일차적인 골관절증이 발생된다"고 했다. 변
성은 비기능적 부하에 의해서 야기된다. 운동과 부하에 의해서 측두하악관절에 작용하는 힘은 연골,
연골하골, 그리고 주변의 근육과 관절낭에 의해 분산된다. 관절 연골은 관절낭액으로부터 영양분을
공급받고, 콜라겐과 단백당이 서로 얽혀있는 구조에 의해서 압축성과 탄성의 독특한 특징을 가지고 있
다. 단백당은 많은 양의 수분을 함유하고 있는데, 이는 연골이 압축될 때 배출되었다가, 압력이 줄어들
면 제자리로 돌아온다. 그러나 나이가 듦에 따라 단백당이 감소하게 된다.

간헐적인 운동이나 간헐적인 압력은 기질의 순환을 증가시킴에 의해서 국소적인 영양공급을 증가
시킨다. 그러나 과도한 운동이나 과도한 부하는 관절과 관절원판의 마모를 야기한다. 지속적인 압력
또는 관절에 가해지는 비기능적 부하는 관절의 영양공급을 방해하고, 변성적인 변화를 일으킨다. 지
속적인 비기능적 압력은 관절원판을 얇게 만들고 변위시킬 뿐만 아니라 하부연골이 탄력을 상실하여
미세골절을 야기시킬 수도 있다. 이러한 미세골절들은 상부 연골에 스트레스를 증가시키고, 세포 매
개 효소작용에 의한 파괴를 자극한다.[2]

참고문헌

1. Magid, S. Osteoarthrosis(DJD) Manual of Rheumatology. Little, Brown and Co. Boston. p. 183-185.
2. Moskowitz, RW, Howell, DS, et al, Osteoarthritis. Philadelphia. 1984. W.B. Saunders. p. 523-530.

Chapter 12

측두하악관절의 관절운동학

회전운동(rotation)/활주운동(translation)

초기 회전운동은 일차적으로 하부 관절 부위(관절원판 아래의 과두부위)와 중간 축 주변(관절원판 부위)에서 일어난다. 이후의 모든 운동은 하부 관절 구조의 회전운동과 상부 관절 구조와 외측 축 주변에서 일어나는 활주운동이 복합적으로 일어난다. 초기 회전운동은 하악이 10~15㎜ 정도 벌어지는 동안에 일어난다. 이러한 회전운동은 하부 관절 부위에서 과두의 상부와 관절원판의 하부 사이에서 미끄러지는 운동의 결과로 일어난다. 그러므로 관절 잡음이 0~15㎜ 개구 사이에서 일어날 때 이 부위에서 발생하는 것으로 여겨진다. 이는 초기 개구시 관절잡음을 가지고 있는 환자를 평가할 때 더 명확하다. 관절삽음은 외측 축에서의 관설 원판 변위의 결과로 나타난다.

활주 운동은 일반적으로 관절 원판의 상부 표면과 관절 융기의 아래부위, 그리고 과두의 외측 축 주변에서 미끄러지는 운동으로 나타난다. 그러므로 초기 개구-회전운동기 이후에 들리는 관절잡음은 일반적으로 우선 상부 관절에서 발생했다고 생각된다.

유착(adhesion)

유착은 1) 과두와 관절원판의 아래면 사이에 있는 하부 관절에서, 2) 관절 원판의 윗면과 관절 융기의 아래면 사이에 있는 상부 관절에서 일어날 수 있다.

하부 관절에서 유착이 일어날 경우 회전운동을 방해하지만 관절와 내에서 과두의 활주는 가능할 것이다. 상부 관절에서의 유착은 정상적인 활주운동이 불가능하고, 이환된 측으로의 제한된 개구만이 가능할 것이다.

비정상적인 악골의 운동을 동반한 운동 과잉, 근육의 과기능, 그리고 관절원판과 관절 구조물에 가해지는 비기능적 부하들은 내장증과 하악 기능장애의 주된 원인으로 여겨진다.

비정상적 역학은 다음과 같은 조건들을 포함할 수 있다.
1. 부적절한 혀의 위치
2. 근육의 부조화

3. 부적절한 개구와 폐구 운동(회전 운동과 활주운동)
4. 이상기능(parafunction)

운동과다를 위한 치료

치료는 물리치료 운동과 정해진 양식을 따라야 한다.

스플린트 치료

A형과 B형 장치:

1. 일차적으로 취침 시 이상기능에 대한 nightguard로 치아 보호를 위해서 사용하는 것이다.
2. 일차적으로 주간 이상기능을 위한 스플린트로 사용한다.
   이상기능을 줄이기 위해서 근육의 고유수용감각을 변화시키기 위해서이다.
3. 일차적으로 'positive occlusal sense'를 가진 환자에 있어서 deprogramming 장치(생체피드백 장치)로 사용된다. 근육의 고유수용감각을 변화시킨다.
4. 가능하다면 CR에서, 아니면 CO에서 만들어져서 최종 균형상태나, 최종 수복을 하기 전에 점차적으로 CR에 적응시킨다.
5. 딱딱한 아크릴로 만들어진다.
6. 상악 궁에 만든다.
7. 전방 비교합(견치 유도 교합)을 형성한다. 구치는 완전한 교합상태를 형성한다.

환자 교육 사항

언제 장치를 사용하는가?

1. 밤에 취침 시 가능한 한 환자에게 잘 때 등을 대고 자도록 교육한다. 치질이나 정형외과적 문제를 가지고 있는 경우는 제외한다. 심각한 2급 전방 개교합과 같은 특별한 골격적인 부정교합을 가진 환자는 옆으로 잘 수 있다.
2. 낮 동안 또는 필요할 때 어느 때나(스트레스성 활동 시)
3. 장치가 CO나 CR에서 만들어졌기 때문에 장기간 착용하고 있을 수 있다.
4. A형 장치들은 먹거나 말할 때 장착할 필요는 없다.
   (만약 환자들이 먹거나 말한다면 이를 꽉 다물 수가 없음)
5. 장치를 처음 장착하는 날, 환자에게 장치는 환자의 교합을 바꾸거나 교합에 대한 감각을 바꿀 수 있으며, 나중에 약간의 교정치료나 교정수술이 필요할 수 있다는 점을 고지하라.

C형 재위치 장치

적응증

1. 골의 관계, 골관절증, 골관절염에 의해 단층촬영에서 나타나며, 통증과 기능 이상을 동반하는 골이 있을 때
2. 현재 통증을 동반하는 관절원판 변위
3. 통증을 동반한 심각한 과두의 위치이상이 있으나, A형 스플린트, NSAIDs, 물리치료로 통증을 감소시킬 수 없을 때

C형 장치의 과정

1. 환자를 처음 문진하거나 평가한 후에 물리치료사에게 의뢰하라.
2. 모형을 CO와 CR에서 마운팅하라. 두 개의 모형.
3. 과두의 위치를 조정하기 전에 절치 핀을 2㎜ 정도 열어라.
4. CO에서 마운팅된 모형을 사용하고 교합기상에서 과두를 조절하라. 과두를 어느 방향으로 얼마나 조절해야 하는지는 측두하악관절 단층촬영을 이용하라.
5. 상악에 스플린트를 만들고 장착하라.
6. 1~5일 후에 측두하악관절의 검사를 위한 방사선 시진을 촬영하라.

치료과정

1. 연구모형과 face-bow, 중심위기록을 가지고 검사와 상담, 방사선 사진의 평가, 물리치료를 위한 의뢰.
2. A-B장치를 장착시키고, 환자가 upright 상태에서, 그리고 밤에 사용하기 위해 누운 자세에서 교합을 미세조정.
3. 장치를 처음 장착하는 날, 장치는 환자의 교합을 바꾸거나 교합에 대한 감각을 바꿀 수 있으며, 나중에 약간의 교정치료나 교정수술이 필요할 수 있다는 점을 환자에게 고지.
4. 장치를 장착한 지 1주일 후에 추적평가를 하고, 필요하면 장치를 조정. 만약 환자가 C형 장치를 사용하고 있다면, 이번에는 방사선 사진만 검사.
5. 4주 후에 추적평가를 하고, 필요하면 장치를 조정.
6. A와 B형 장치를 끼고 있는 환자들이 초기 증상이 모두 사라질 때까지 최소한 1개월 동안 하루 종일 장착하고 있도록 시킨다.
7. B와 C형은 식사 중에도 장착하도록 교육.

USC 임상 검사 양식

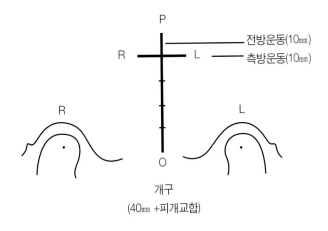

그림 12-1

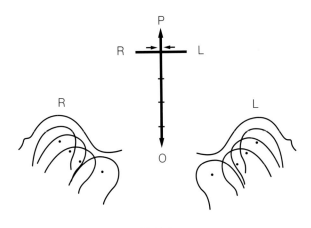

그림 12-2

측두하악관절운동역학

- 하악의 정상적인 회전운동과 활주운동
- 복원성 관절 원판 전방 변위
- 비복원정 관절 원판 전방 변위(closed lock)

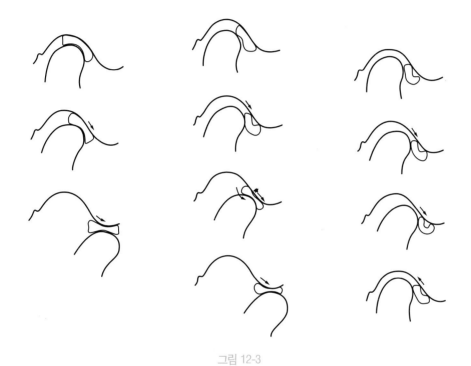

그림 12-3

하악의 편향 원인

· 신경성 장애
· 근육의 부조화
  - 이상기능(parafunction)
  - 관절 원판 변위를 보호하기 위한 운동 제한

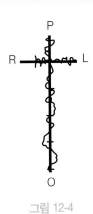

그림 12-4

하악 편향 원인들

· 근육 부조화(L-R)
· 관절원판 sticking(R)
· 구조적인 부조화- 개구와 폐구 시 같은 곡선

그림 12-5

하악 편향을 동반한 개구 시 관절잡음

· 구조적인 부조화
· 개구와 폐구 시 같은 시점에서의 관절잡음
· 유착

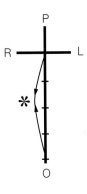

그림 12-6

관절잡음 – 임상적인 고려사항

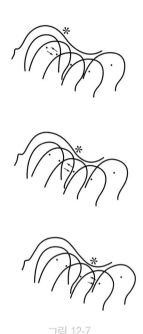

그림 12-7

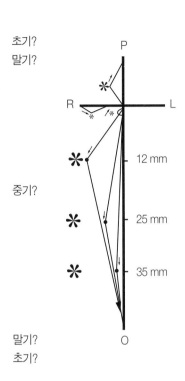

그림 12-8

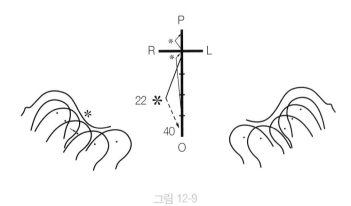

그림 12-9

구조적인 부조화

진단학적 증상들

· 개구, 폐구, 측방, 전방 운동에서 각각 같은
  시점에서의 잡음
· 무통
· 하악 기능 이상 없음

치료

· 치료 없음

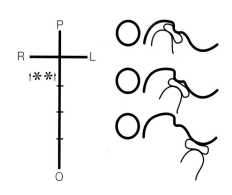

그림 12-10

관절원판 점착(disc sticking)

이악물기에 의해서 압박된 관절원판

진단적 증상들

· 무통
· 최소한의 하악 기능 이상
· 개구 초기 관절잡음
· 폐구 시 잡음 없음
· 개구 때마다 다른 위치에서 관절잡음 발생
· 개구 시 이환 측으로의 편향
· 폐구 시에는 직선 경로
· 측방과 전방운동도 영향받을 수 있음

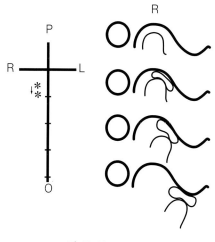

그림 12-11

치료

· 물리치료
· 스플린트 치료
· 정신과적 의뢰

복원성 관절원판 변위

근육의 과다 긴장(급성 외상)

진단적 증상

- 초기 개구 시 관절잡음
- 말기 폐구 시 관절잡음
- 관절 잡음이 다른 지점에서 발생
- 하악 기능장애와 통증을 야기
- 만성적이 될 수 있음
- 변이된 측으로 편향, 그리고 감소
- 전방과 측방으로 개구 시 변이된 측에서 관절잡음
- 저작 시 관절 잡음

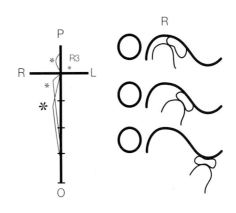

치료

- 물리치료
- 스플린트 치료
- 소염제 투약

그림 12-12

복원성 관절원판 변위

근육의 긴장 과다 (만성적)

진단적 증상

- 중기 또는 말기 관절 잡음
- 보다 날카로운 소리
- 잡음이 들리는 시점에서 통증
- 계속 다른 지점에서 관절 잡음이 발생
- 스플린트나 물리치료로서 감소시키기 어려움
- 복원이 되면서 변이된 측으로 편향
- 저작 시 통증

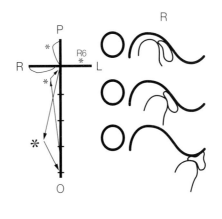

그림 12-13

치료

- 물리치료, 투약, 스플린트 치료
- 통증이 지속된다면 수술이 필요(개구 또는 폐구)

비복원성 관절 원판 변위(만성)

진단적 증상들

- 개구, 이환측으로의 측방, 전방운동 시 하악
  운동의 제한
- 하악운동 시, 예를 들어 저작 시, 통증
- 개구, 측방운동, 전방운동 시 한계점에서 대
  개 통증이 일어남

진단

- 임상적 검사
- MRI
- 관절조영술
- CT

권장되는 치료

- 관절 공간을 고려하라.
- 증상이 없다면 치료는 필요 없다.
- 3주 동안 C형 재위치 스플린트 사용 후
  A형 스플린트로 복귀
- 물리치료
- 소염제 투약

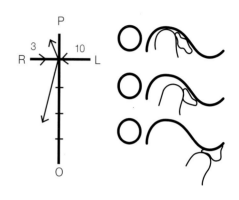

그림 12-14

관절 원판 유착 - A

진단적 증상

· 개구 제한
· 개구와 전방운동 시 이환측으로의 편위
· 반대측으로 운동의 제한
· 관절 통증
· 원판이 탈구되었을 때 관절잡음이 날 수
  있다.
· 과두가 원판 위에 있을 때에는 잡음이 나
  지 않는다.

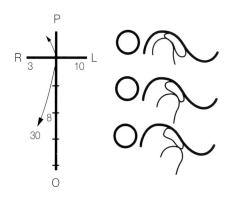

그림 12-15

진단적 치료

· 양측 관절 모두 관절 조영술
· 무라카미 펌핑술(Murakami pumping technique)
· 관절경
· C형 스플린트

진단

· 임상적 검사
· MRI
· CT
· 관절조영술

유착-B

복원성 관절 원판 변위

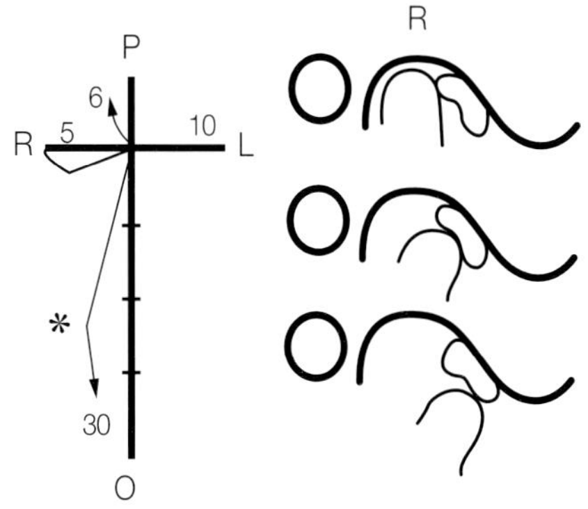

진단적 증상들

· 개구와 전방운동 시 이환측으로 하악의
  편위
· 반대측으로의 운동 제한
· 개구 시 항상 같은 지점에서 관절잡음
· 폐구 시 같은 지점에서 관절잡음
· 하악의 운동, 예를 들어 저작이나 개구
  시 관절 통증
· 물리치료에는 거의 반응이 없음
· 신연성 탈구(distraction)와 관절 가동술
  (mobilization)

그림 12-16

진단

· 임상검사
· MRI
· CT
· 관절조영술

권장되는 치료

· 관절경
· A 스플린트, C 스플린트
· 물리치료

* 치료는 관절 원판이 운동하면서 변위되어 있는, '비복원성 관절 원판 변위' 그림과 같은 상태를 만
들 수 있다.

Chapter 13

관절염질환의 감별진단을 위한 이론적 접근

　　많은 치과의사들은 류머티스성 질환과 악관절질환의 진단과 치료에 많은 어려움을 겪고 있다. 만성적 성질, 다양한 증상, 통증의 악화와 완화의 반복, 이들 질환의 복잡성 때문에 치과의사와 환자들이 많이 혼동하게 된다.

　　성공적인 치료를 위해서 초기 진단과정에서 이들 질환에 대한 이해와 감별이 필요하다. 감별진단이란 증상과 증후를 구별하고, 질환들의 상대적인 임상적 의미의 중요성을 정하는 것을 말한다.

　　캘리포니아 대학 안면 통증 클리닉과 캘리포니아 샌디에고 병원의 실험에서 악관절질환 환자들이 적어도 평균 7명의 내과의, 치과의, 정신과 의사나 다른 건강전문의에게 진료를 받은 것으로 나타났다. 이들 환자 10명 중 7명 이상이 감별진단 방법과 질환의 진행과정에 대한 이해의 부족으로 불명확한 진단이나 오진을 받은 것으로 밝혀졌다.

　　미국 구강안면 통증학회는 측두하악관절에 영향을 미치는 질환을 분류하였다.

　　1) 관절성과 비관절성 2) 비기질적(기능적) 기원의 두개하악 질환 3) 2차적 기질적 변화와 관련된 비기질적 기원의 두개하악 질환[1,2]

과거력

감별진단을 위해 환자의 과거력에 대한 철저한 조사가 필요하다.[3,4]

1. 주소 : 가장 주된 증상이 무엇입니까?

2. 통증의 양상 : '찌르는 듯한', '날카로운', '무딘, 쑤시는 듯한', '고동치는 듯한', '마비된 듯한', '저린 듯한'과 같은 환자의 표현

3. 만성질환 : 만성질환이나 기능장애가 시작된 지 얼마나 됐습니까? 질환 발생 후 점진적으로 진행됐습니까, 아니면 갑자기 발병하였습니까? 진행 양상이 어떻습니까?

4. 심각성 : 질환의 진행 중 매우 심하게 아팠을 때를 기록한다.

5. 현재 기능 능력 : 하악의 개폐, 측방, 전방운동, 저작하고 말하고 하품할 때 어려움이 없는지 기록한다.

6. 병력 : 투약, splint 치료, 물리치료 등 과거나 현재 받고 있는 치료를 기록한다.

7. 치료 : 치료 형태와 치료한 사람을 기록한다.

8. 환자의 이해 : 질환에 대한 환자의 이해와 치료결과에 대한 기대, 환자가 생각하는 치료 목표 등을 확인한다.

병력검사 측면에서 중요한 사항

성별과 나이

만약 환자가 유년기 어린이인 경우 관절의 외상 혹은 외상성 손상으로 인한 감염의 결과로 발생한 부패성 관절을 질환의 원인으로 생각할 수 있다. 유년기 측두하악관절의 통증이 있는 경우, 이하선염이나 유행성 이하선염을 고려해 볼 수 있다.[5]

환자의 나이가 10대인 경우 사춘기 류머티스성 관절염이나 류머티스성 열로 인한 관절의 통증을 고려한다. 사춘기 류머티스성 관절염은 소녀의 경우가 소년보다 3~5배 정도 높게 나타난다. 관절염 환자 중 사춘기 류머티스성 관절염을 앓고 있는 어린이들이 7% 이상 되고 있다.[6] 18~20세를 지나면 사춘기 류머티스성 관절염은 거의 발생하지 않는다. 환자의 나이가 젊은 청년기 남자라면 외상의 가능성이 가장 높고, 관절염은 2차적 선택이 될 가능성이 많다.

강직성 척추염(AS)은 20~40대에 가장 빈번하게 발생하고, AS와 human leukocyte locus HLA-B27(조직 친화 항원) 사이에 강한 연관이 있는 것으로 알려졌다.[1,2] 임균성 관절염과 라이터증후군(Reiter's syndrome)은 성적으로 왕성한 남성의 측두하악관절에 영향을 주는 것으로 잘 알려져 있다.[7,9] 남자에 있어서 40세 이상이 되면 통풍성 관절염의 가능성이 있다. 통풍성 관절염은 폐경기 후까지는 성인 여성에게 발생하지 않는 것으로 알려져 있다.[10]

염증

전이부에 발생한 부종, 발적, 열감 등은 통풍, 패혈증, 류머티스성 관절염의 진단적 증상이 된다. 드물게 나타나지만, 사춘기 류머티스 질환과 콜라겐 질환은 10대 초반에 발생하고, 하악운동 시 예통을 일으키며, 측두하악관절 촉진 시 민감하며, 병리검사에 양성반응을 보인다.[6,7]

류머티스성 관절염은 미국 인구 중 700만 명 정도에 이환되어 있고, 여성이 남성보다 3배 정도 많다.[7] 주로 40대 후반에서 시작하고, 연령이 증가할수록 그 수도 증가한다. 질병이 사춘기 류머티스성 관절염과 같이 면역기전의 한 형태로 여겨지지는 하지만, 감정적 외상(스트레스)과 연관된 경우도 30~50% 정도 된다.[11]

라이터 관절염과 건선성 관절염은 관절에 열감을 보이나, 통풍성 관절염만큼 심하지는 않다. 관절에 열감은 없고 촉진 시 민감성을 보인다면, 진단은 골 관절염, 콜라겐 질환, 만성적 외상 쪽으로 가야

할 것이다.

증상

통풍성 관절염 환자의 50~70%에서 엄지발가락에 통증과 부종을 호소한다.[10] 과요산혈증과 통풍은 유전적 경향이 있고, 가족력의 경우는 6~80%의 경우로 다양하게 보고 된다.[12] 만약 환자가 허약해지고 체온이 상승한다면, 패혈증을 의심해 볼만하다.[8,12]

혈관염, 통풍과 라이터 관절염은 체온 상승을 일으키지 않는다. 건선 환자는 전형적으로 손가락 관절마디, 팔꿈치, 무릎, 가르마를 따라서 건조한 피부가 나타난다.

피부와 손톱이 가장 좋은 진단의 지표가 된다. 예를 들어 손바닥에 통증성 농포와 측두하악관절의 부종은 임균성 관절염을 의미한다.[7] 얼굴과 팔과 몸체에 붉은 반점과 점진적 구순 경계부의 소실, 심한 개구제한, 손가락 끝의 건조, 화농성 표피, 손톱이 움푹 패이는 것은 경피증과 콜라겐 질환의 증상이다.[8,10]

관절질환의 증상과 징후

매우 다양한 형태의 관절 질환이 측두하악관절에 영향을 미치지만,[10,13-20] 치과의사가 특별히 자주 접할 수 있는 몇 가지 형태의 질환이 있다. 이들을 감별하는 능력은 성공적인 치료를 위해 매우 중요하다.

골관절증

가장 흔한 형태의 관절질환이다. 골관절증은 관절 구조의 비염증성 변화로 설명할 수 있다. 관절염은 염증의 2차적 단계로 측두하악관절 구조의 퇴행성 변화로 진행된다.

골관절증은 퇴행성 관절질환과 퇴화성 관절염(age-onset arthritis) 등 50여 개의 다른 이름으로 불린다. 골관절증은 처음에는 비염증성이나 2차적 염증을 일으키는 진행성 관절질환인 경우가 많다. 골관절증/골관절염은 관절면을 약화시키고, 하방 골조직을 계속적으로 변화시킨다.[11] 또한 관절연골을 파괴하고, 연골하골을 증식하며, 진행성으로 관절을 파괴하는 골증식체(골돌기, osteophytes)를 형성한다.[11,15-18]

골관절증은 15~20세에 시작되고, 40대에는 90% 정도가 이환된다.[20] 방사선적 변화는 25~30세 정도에 보이기 시작하고, 연령이 증가할수록 발현 빈도가 높아지며, 남성과 여성 모두에게 영향을 주나, 55세 이상의 여성에 주로 나타난다. 증상과 방사선적 혹은 병리적 변화와 연관성은 별로 없다.[20] 방사선 사진 상 이상을 보이는 30% 정도에서만 동통을 호소한다.[7,21,22] 그러나 방사선적 골변화가 심할수록 증상을 호소하는 경우가 많다.[7,11,21]

원발성 골관절증의 병인론

Magid[7]는 원발성 골관절증은 연골의 합성과 퇴행의 불균형으로 발생한다고 설명했다. 측두하악관절의 운동과 하중에 의해 발생하는 힘은 연골, 하부 연골, 주위 근육과 관절낭에 의해 상쇄된다. 관절연골은 활막액으로부터 영양분을 공급받고, 콜라겐과 프로테오글리칸의 꼬인 그물 구조로 압축과 탄성의 독특한 성질을 가진다. 프로테오글리칸은 많은 양의 물과 결합해 물을 방출하면 연골을 압축하고 물과 다시 결합하여 압축 상태를 완화시킨다. 연령이 증가하면서 프로테오글리칸이 감소하게 된다.

간헐적인 운동과 압축은 국소적 영양공급을 증가시키고, 기질의 순환을 활성화시킨다. 그러나 이런 운동은 관절을 마모시키고, 계속적인 압축과 과도한 하중은 관절의 영양공급을 방해하고, 퇴행성 변화를 유도한다. 지속적인 압축으로 연골하골의 탄성이 소실되고, 미세파절을 야기한다. 이런 미세파절은 상부 연골에 스트레스를 증가시키고, 세포성 매개의 효소파괴작용을 자극한다.[21]

Allingr과 Mahan[23]은 다음과 같이 설명했다.

"골과 같이 하부연골도 통증을 느리게 전달하는 섬유를 가지고 있다. 이로 인해 관절이 심한 하중을 전달하는 동안 골관절염이 있는 관절의 불규칙한 골관절면이 서로 마찰하면서 국소적으로 과도한 압력이 발생한다."

속발성 골관절염

속발성 골관절염은 관절에 2차적 염증성 변화가 시작되었다는 증거이다. 전에 증상이 없었던 환자에 통증, 부종, 측두하악관절의 기능장애 등의 증상이 나타난다. 악관절 이외에 가장 흔한 호발 부위는 손의 원위지간관절, 중수지관절이다.

이런 증상은 대개 50세 이상에서 나타나고 하지만, 혹은 그 이상의 관절에 잠행성으로 발생해 통증을 호소하게 된다. 통증이 국소화되지는 않고,[23] 정상적인 저작이나 기능 후 발생하고 휴식을 취하면 이완된다. 휴식 시에도 통증을 호소하고, 아침에 일어나서 관절의 경직감을 느낀다면 질환이 진행되었다는 증거이다.[7]

감별진단

진단학적으로 비염증성 원발성 골관절증과 속발성 골관절염은 대개 한쪽 혹은 양쪽 손의 손가락, 원위측 두개의 관절 혹은 편측이나 양측성으로 측두하악관절에 발병한다. 손목에는 잘 발생하지 않고, 피부에 나타나지도 않으며, 병리 검사에도 반응하지 않는다. 방사선적으로 과두와 관절융기가 편평해지거나 미란성 양상을 보인다.

염증성 류머티스성 질환의 특징은 양손과 손목, 양쪽 고관절, 양쪽 무릎, 양쪽 측두하악관절 등 신체의 양측성으로 발생한다. 귀와 손가락에 피하결절이 생기고, 양성 응집검사로 확인할 수 있다. 방사선적으로 후기에 과두의 낭성 변화가 나타난다. 또한 과두의 전상방부의 타원형 모습이 사라져 보일 수도 있다.

골관절증에서 나타나는 관절 연골의 병리적 · 구조적 파괴의 과정(sequence)

1. 초기연화
2. 섬유화와 열구화
3. 미만성 국소 침식
4. 완전한 박탈을 포함한 얇아짐.

연골하골의 변화

1. 하중에 의한 골절면의 경화
2. 낭포 형성
3. 골이 두꺼워지고 비후됨
4. 골증식체에 의해 관절 주변에 새로운 반응성 골증식

원발성 골관절증과 속발성골관절염 모두에게 나타나는 방사선적 변화

1. 관절면 협소화
2. 연골하 경화
3. 주변부에 골증식체 형성
4. 관절 수위 골낭
5. 아탈구, 기형, 진행된 방사선투과 상
6. 관절의 강직 부재[24]

관절의 강직이 있다는 것은 하악운동을 제한하는 신경병변이나 근육병변이 있거나, 만성적 관절원판의 정복성, 비정복성 변위가 있다는 것을 의미한다.

측두하악관절에 영향을 미치는 다른 염증성 질환의 감별진단 시 고려사항은 아래와 같다.

외상

외상 후 급성 염증반응이 일어난다. 염증이 사라지고 몇 개월이 지나면 통증 없이 관절에 골성 비후가 일어난다.

출혈 시 응고장애

재발성 혈관증은 혈우병 환자의 90%에서 무릎, 발목, 팔꿈치 관절에서 발생한다. 증식성 활막염은 속발성 골관절증이 진행되어 발생한다.[11] 방사선 사진 상 큰 낭성 부위와 골괴사 부위가 보인다.

신경성 병변의 관절질환

동통과 고유수용감각이 상실되면 관절의 보호 기능이 없어지고, 속발성 골관절염이 일어난다. 당뇨, 매독, 악성빈혈, 말초신경 손상 등은 신경병변성 관절병변을 야기한다고 알려져 있다. 방사선 사진 상 연골이 소실된 심한 골관절염성 변화, 골증식체 부산물, 병적 골절된 연골하골 조각과 붕괴양상이 관찰된다.[8]

관절 내 스테로이드 주사

Magid[7]는 1) 통증을 완화시켜 이미 파괴된 관절의 과용을 야기하고, 2) 주사된 스테로이드에 의해 연골에 직접적 손상을 준다고 하였다.

Wilson's disease

초기 골관절증과 위통풍은 구리대사장애의 양상을 보인다.[8]

연골석회화증

일반적으로 골관절증과 연골석회화증은 같은 병인과정을 가지며, 과운동성 장애와 연관이 있다.

병리검사 연구

임상가는 측두하악관절 질환의 진단 목적으로 병리검사를 이용할 때 주의해야 한다. 비록 병리검사가 류머티스 질환의 진단과 치료에 도움이 되지만, 거짓양성 반응의 결과가 나타날 수도 있기 때문에 항상 주의해야 한다.[25] 병리검사는 반드시 병력조사와 검사의 보조적 수단으로만 사용해야 한다. 잘못된 병리검사가 모순된 임상진단으로 치료방법을 변화시킬 수 있으므로 주의해야 한다.

다음의 병리검사는 관절염 질환의 감별진단에 도움이 될 것이다.

1. Latex fixation test : 류머티스성 관절염, Reiter's 관절염, 통풍성관절염에서 양성 반응을 보인다. 건선성 관절염과 사춘기 류머티스관절염은 10~25%의 환자에서만 양성 반응을 보인다.[25]
2. Antinucleic antibody test(ANA) : 콜라겐 질환에 반응한다.[3,25]
3. C-reactive protein test(CRP) : 콜라겐 질환에 반응한다.[25]
4. Uric acid test : 정상치가 6.2mg/dL까지이다. 9mg/dL 이상이 되면 증상이 있을 것이고, 통풍성 관절염으로 진단할 수 있다.[25]
5. Erythrocyte sedimentation rate(ESR) : 정상은 0~20mm/h이다. 정상적인 성인 여성이나 나이든 환자에서는 35mm/h 이상으로 올라갈 수 있다. 만약 90~125mm/h까지 올라간다면 염증성 상태를 의미하고, 임시적 동맥염으로 진단할 수 있다.[25]

요약

많은 근골격계와 콜라겐 질환은 경추와 측두하악관절뿐만 아니라 신체 다른 관절에도 영향을 주어 기능장애를 일으킬 수 있다. 이런 질환이 측두하악관절에 발생했을 때 이들을 감별진단하기 위한 이론적 접근이 있어야 한다. 환자는 통풍, 건선성 관절염, 류머티스성 관절염 등과 같은 신체 전반에 염증성 질환이 의심될 때 더 나은 치료와 투약과 환자의 재활을 위해 류머티스 전문가와 상담한다.

비록 류머티스성 질환이 복잡하기는 하지만, 감별하여 적절한 치료를 한다면 치과의사에게도 그다지 어렵지 않다. 그러나 급성 통증의 초기 완화와 성공적인 치료는 임상가의 다음과 같은 능력에 달렸다.
1. 질환의 진행과정의 이해
2. 정확한 진단
3. 적절한 치료방법의 적용

참고문헌

1. McNeil, C; Danzig; WM, Farrar, WB, et al: Craniomandibular(TMJ) disorders-The state of the art. J.Prosthet Dent 44:434, 1980.
2. McNeil, C: Craniomandibular(TMJ) Disorders - The state of the art. Part II: Accepted diagnostic and treatment modalities. J.Prosthet Dent 49:809, 1983.
3. Tan, EM: Antinuclear antibodies in diagnosis and management, J Hosp Pract 18:79, 1983.
4. Tanaka, TT: Recognition of the pain formula for head, neck and TMJ pain disorders. J Calif Dent Assoc 12:79, 1984.
5. Ausband, JR: eAR, Nose and Throat Disorders. New York, 1974, Medical Examination Publishing Company, Inc. pp. 158-159.
6. Brewer EJ: Juvenile Rheumatoid Arthritis, vol. VI, Major Problems in Clinical Pediatrics, Philadelphia, 1970, WB Saunders, Co. pp 1-3.
7. Beary, JF; Christian, CL, Sculco, TP, editors: Manual of Rheumatology and Outpatient Orthopedic Disorders. Boston, 1981, Little, Brown & Co. pp 44-185.
8. Wyngarden JB; Smith, LH: Cecil Textbook of Medicine, Vols. I and II. Philadelphia, 1985, WB Saunders Co, pp 1932, 1891-1895.
9. Chue, PSY: Gonococcal arthritis of the TMJ. J Oral Surg 39:152, 1975.
10. Resnick, D; Niwayama, G: Diagnosis of Bone and Joint Disorders with Emphasis on Articular Abnormalities. Philadelphia, 1981, WB Saunders, Co, pp 1464-1520.
11. Wilson, FC: The Musculoskeletal System. Chapel Hill, NC, 1975, JB Lippencott, pp 210-211.
12. Smyth CJ: Hereditary factors in gout: A review of recent literature. Metabolism 6:218, 1957.
13. Blair G:Psoriatic arthritis and the TMJ. J Dent 4:123, 1976.

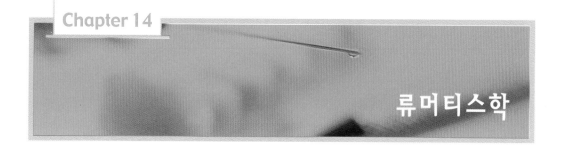

Chapter 14

류머티스학

골관절염(OA; Osteoarthritis)과 류머티스 관절염(RA; Rheumatoid Arthritis)의 최근 모델은 다음 사항을 기본으로 하여 가정하고 있다.

1. OA/RA는 치료 가능한 질환이다.
2. OA/RA는 만성질환이고 환자의 자가치료와 치료 의지에 달려있다
3. 모든 투여약에 부작용이 있고, 이에 따른 손익을 잘 따져야 하는 것이 중요하다.

감별 진단

· OA : 손가락, 발가락의 후방관절(distal interphalangeal)과 측두하악관절에 영향을 미친다.
· RA : 손과 손목의 수근 중수골(carpal-metacarpal bone)에 영향을 미친다. 발의 중족골(metatarsal bone)과 측두하악관절에 영향을 준다.

골관절염의 기전과 퇴행성 변화

· 골관절염인 경우 수산화인회석 결정체가 관절에 축적되어 대식세포수가 증가한다.
· 이런 대식세포는 관절 내 콜라겐 분해 효소의 생산을 야기한다.
· 콜라겐 분해효소는 기질과 연골을 분해해 염증을 활성화시킨다.
· 이런 염증은 위축을 야기하는 근육의 이완반사를 일으킨다.
· 골관절염이나 류머티스성 질환의 경우, 투약으로 질환의 자연적인 진행과정을 변화시킬 수 없고, 단지 질환의 증상만을 치료할 수 있을 뿐이다.

류머티스성 관절염의 예후 양상

좋다(좋은 예후)	나쁘다(좋지 않은 예후)
급성질환	
1년 이내	
40세 이하	
남자	골침식
계속적 질환의 활성	
관절 외 양상	
류머티스성 결절	
류머티스성 요인	

완치 결정기준(remission criteria)

다음의 사항들 중 2개월 이상 5개 사항이 지속되었을 때 완치 단계라고 결정할 수 있다.

1. 피로감이 없다
2. 통증이 없다
3. 관절의 경결감이 없다
4. 연조직 부종이나 통증이 없다
5. 아침에 경직감이 15분 이상 지속되지 않는다.
6. ESR이 여성은 30 이하, 남성은 20 이하

류머티스 질환 환자

- 15%에서 짧은 기간 통증과 기능장애를 가지며, 다른 문제는 없다.
- 25%에서 회복된 관절질환을 갖는다.
- 50%에서 악화와 회복을 반복하는 계속적 활성의 류머티스성 질환을 갖는다.
- 10%에서 통증이 지속되는 동통성 병변을 갖는다.

사춘기 류머티스성 관절염

1. 17~25세 여성의 7% 정도에 이환된다.
2. 접진적 급성 발병
3. 측두하악관절에 편측 혹은 양측성으로 발생한다.
4. 신체의 다른 관절에도 역시 이환된다(측두하악관절, 무릎, 팔꿈치, 손의 중수골, 손목).
5. 보정된 단층촬영에 낭성변화 관찰됨
6. MRI에는 나타나지 않는다.

7. 교합변화 : 진행성 전치부 개교합

8. 병리검사

    a. Latex fixation test(+)

    b. ANA reactive

    c. CRP reactive

    d. ESR 65~125까지 증가한다.

9. 25~27세 정도가 되면 대개는 질환이 소실한다.

10. 류머티스 전문가에 의뢰한다.

11. 중심위의 안정화 splint를 사용한다(Type A Splint).

Chapter 15

측두하악관절의 방사선학과 영상화

측두하악관절의 구조를 재현하기 위해 지난 수 년 간 많은 방사선적 방법이 개발되어 왔다. 어떤 방법은 어느 정도의 정확성과 유용성을 보여준 반면, 다른 방법은 매우 불완전하고 잘못된 정보를 주었다.

이 장에서는 측두하악관절의 영상화에 유용하다고 평가되는 몇 가지 방법과 장비에 대해 고찰하고자 한다.

경두개 혹은 평면 필름(plain film) 방사선 촬영법

치과의사와 의사들은 측두하악관절을 포함해서 신체의 다양한 부위를 영상화하기 위해 평면 필름 촬영법을 사용해 왔다. 이 방법은 관절과 많은 골격구조가 중첩된다. 그래도 저가의 필름과 장비 덕분에 여전히 많이 사용되고 있다.

측사위 촬영법과 경두개 촬영법으로 알려진 평면필름 촬영법은 표준 치과용 X-ray와 5×7 혹은 파노라마 필름 카세트, 증감지를 포함한 필름을 사용한다.

비록 두부고정장치가 평면필름 촬영법의 기능을 향상시켰지만, 과두의 상외측극과 과두와의 가장 외측 하방부만을 볼 수 있다. 따라서 이런 방법은 과두의 관절면에 골성 관절염성 변화와 같은 수많은 작은 병적 소견을 볼 수 없다. 그렇지만 과두와 관절와의 전후상방 관계를 확인하는데 유용하다. 주목할 만한 중요한 사실은 과두에 발생한 병변의 70% 정도는 과두와 과두와의 전상방의 외측 1/3 부위에 이환된다.

과두의 중앙 혹은 내측 부위의 병리적 혹은 재형성 변화는 측방경두개 촬영법으로 쉽게 보이지 않는다. 이런 이유로 측방 경두개 촬영과 과두의 전후방 영상을 얻기 위해 과두의 낭성 혹은 침식성 변화를 확인할 수 있는 보조적 경두개 촬영이 필요하다.

경두개 촬영은 대개 수직각을 25도 정도 주어 촬영한다. 수직각이 40도 이상이 되면, 과두의 내측에서 외측극까지 볼 수 있다. 이런 이유로 측두하악관절 촬영 시 25도, 40도에서 2장을 촬영한다. Accurad 200과 300을 경두개 촬영의 예로 하겠다.[1]

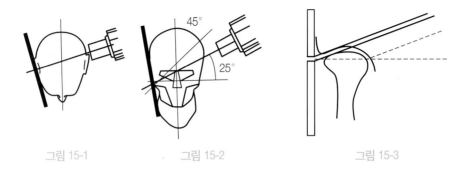

그림 15-1 · 그림 15-2 · 그림 15-3

신체 분할 촬영법

신체 분할 촬영법(body section radiography)은 치과용 파노라마 단층촬영(panorex, panalypse, pantomography)과 선형, 원형, 클로버 잎 모양의 과두이동법을 사용하는 의과용 단층촬영과 컴퓨터 단층촬영법과 조영단층촬영법 등으로 나눌 수 있다.

파노라마 촬영법

Panorex는 1세대 치과용 파노라마 x-ray 장비이다. 두 개의 고정된 회전 중심을 가진 고정된 상층을 사용한다. Panorex의 단점은 머리가 상층에 고정되지 않으면 과두와 구치가 하악의 다른 구조들보다 상이 확대되는 왜곡이 발생한다. 이를 수정하기 위한 노력들이 있었지만, 아직까지 측두하악관절의 적절한 영상을 제공해 주지는 못한다. 그러나 파노라마 촬영법은 Eagle's Syndrome의 경우에 신장된 경상돌기를 확인할 수 있고, 하악 골절과 종양 진단에 매우 유용하다.

정밀진단 적합성

측방 혹은 시상면 촬영으로 과두의 전체적인 모습을 알 수 있다. 하악의 크기를 위해 몇 가지 방법을 사용한 몇몇 새로운 장비와 이하두정 촬영법도 Quint Sectography와 Tome 2000과 같은 신체 분할 촬영법과는 비교할 수 없다.

Panalypse와 orthopantomography는 다양한 회전 중심을 사용하고 과두를 포함할 수 있을 만큼 상층이 넓어져 있다. Orthopantomography는 기본적으로 zonography이고, 비교적 두꺼운 부위의 조직을 영상화시키는 술식이다.

치과-의과용 신체 분할 단층 촬영법

치과-의과용 신체 분할 단층 촬영법(dental-medical body section radiography)은 고정된 상층면의 전방과 후방에 있는 중첩된 구조물의 그림자에 의해 생기는 상의 번짐을 수정해, 상층 내에서 보다 명확하게 구조물을 볼 수 있게 하는 특별한 x-ray 촬영법이다.

신체 분할 촬영 필름은 각 부위를 얇게 단층하여 쉽게 영상화할 수 있다. 다음과 같은 다양한 명칭을 가지고 있다.

1. Tomography(Tomogram)
2. Planigraphy(Planigram)
3. Stratigraphy(Stratigram)
4. Laminography(Laminogram)

가장 간단한 단층촬영 장비는 그림 15-1에서 보는 바와 같다. 기본적인 장비로 X선 관구, X선 필름, 고성된 회전축을 회선하는 rigid connecting rod 등이 있다. 관구와 필름은 반대 방향으로 움직인다. 필름은 환자의 움직임에 방해받지 않기 위해 X선 테이블 아래 트레이에 위치시킨다. 회전축은 고정되어 있는 시스템의 한 부분이다. 측두하악관절의 촬영할 부위를 회전축에 맞추어 위치시킨다. 상층 부위는 한 평면이고, 이 평면의 위, 아래 부위는 상이 왜곡(상의 번짐)된다.

의과용 단층촬영법

의과용 단층촬영 장비로 측두하악관절을 영상화하기 위해서 환자는 바로 누워 머리를 측방으로 회전시켜야 한다. 이로 인해 과두와가 긴장(수축)하여 진단하기에는 부적절한 위치에 놓여지게 된다. X선 광원이 머리에서 발 방향으로 수직적으로 이동하기 때문에 수직적인 번짐 현상(streaking)이 일어난다. 과두 상방 외측극부터 사진의 번호가 매겨지므로, 작은 숫자가 과두 외측극부의 사진을 의미한다.

치과용 단층촬영법

치과용 단층촬영은 X선 광원이 수평 혹은 수직적으로 이동하는 동안 환자가 긴장하지 않고 두부가 고정되게 앉아있는 자세에서 촬영한다(그림 15-2). 과두의 바깥쪽 내측극부터 영상의 번호가 매겨지므로, 작은 번호는 내측극을 의미한다.

치과용 선형 단층촬영은 Arthur Quint(Quint Sectograph)와 Robert Ricketts에 의해 개발되었다. 더 최근에는 치과용 단층촬영 장비로 Tome 2000(Denar Professional Dental Imaging)이 개발되었다. 공간을 적게 차지할 뿐만 아니라, 좋은 영상을 제공하고 수직적 궤도를 갖는다.

Quint Sectograph와 Tome 2000은 표준 장비이다. 두 장비 모두 두부고정장치를 사용하고 환자가 앉아있는 긴장하지 않는 자세로 측두하관절을 촬영할 수 있다. 따라서 과두와 과두와의 관계를 신뢰할 수 있는 좋은 영상을 제공해준다.

치과용 단층촬영 장비를 위에서 내려다 봤을 때 관부와 필름은 직선으로 주행하는데, 이 때문에 선형 단층촬영이라고 한다.

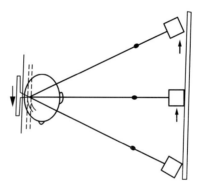

그림 15-4

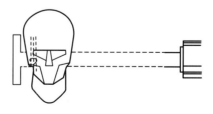

그림 15-5

복합운동-대표적인 과두운동의 형태는 다음과 같다. 타원형, 선형, 클로버 잎 모양 등의 복합적인 과두의 이동은 상의 streaking(선형왜곡, 상의 번짐)을 없애주고, 선명한 단층 상을 제공해준다(그림 15-6, 15-7).

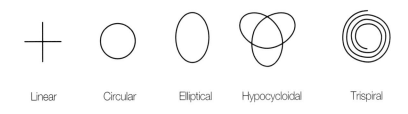

| Linear | Circular | Elliptical | Hypocycloidal | Trispiral |

그림 15-6

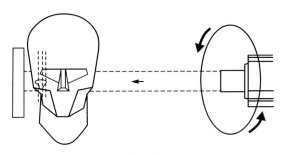

그림 15-7

컴퓨터 단층촬영

컴퓨터 단층촬영의 가장 기본적인 장점은 피사체의 내부 구조를 다양한 투영으로 재건할 수 있다는 점이다. 1972년 4월 영국 방사선학회에서 Mr. G.N. Hounsfield는 computerized axial transverse scanning(CAT Scan)이라고 명명한 혁명적인 새로운 영상화 방법을 소개했다.

기본적인 개념은 매우 간단하다. 두부를 얇게 분할하면(tomographic slice) 연필과 같은 X선속으로 다양한 각도에서 관찰할 수 있으며, 이 영상을 컴퓨터에 입력시킬 수 있다. 컴퓨터에서 이 영상을 특정 평면을 기준으로 재구성할 수 있다 : 수직면, 시상면, 전후방면, 수평면

현재 개발된 소프트웨어로 재구성된 영상을 모니터 상에서 특정 각을 기준으로 상·하악, 측두하악관절을 회전시켜 관찰할 수 있다. 컴퓨터 단층촬영법은 촬영 기술에 따라 다양한 명칭을 가지고 있다.

몇 가지 일반적인 이름은 다음과 같다.

1. 전산화 횡단 단층촬영

2. 전산화 보조 단층촬영

3. 전산화 평횡단 단층촬영

4. 재구성 단층촬영

5. 전산화 전달 단층촬영

6. 전산화 단층촬영

CT는 현재 이 한 가지 명칭으로 불리고, 이 장에서는 이 명칭을 사용한다.

CT는 방사선학 분야 중 가장 **빠르게** 발전하고 있다. Clyde Helms와 다른 연구가들이 CT의 'blink mode' 를 이용해 관절원판 전위를 규명하였다.

이를 뒷받침하는 많은 논문들이 발표되었지만, 필자의 연구결과 blink mode에서는 외측익돌근의 건이 전위된 관절원판으로 오인되는 경우가 종종 있었다.[3] 몇 년 후 Westessen 등에 의해 필자의 연구가 확인되었다.

CT는 과두의 과성장과 측두하악관절 종양, 성장장애, 임플란트 치료에 있어서 술 전 식립 위치 영상화에 아주 좋은 방법으로 사용된다.

CT의 가장 큰 장점은 측두하악관절의 3차원적 영상을 제공해 줄 수 있다는 점이다. 컴퓨터와 연관해서 얼굴과 관절의 3차원적 영상을 제공해주는 이런 특별한 기능은 악교정수술이나 임플란트 수술을 시행하는 외과의사의 술 전 준비과정에 매우 가치 있는 정보를 제공해 줄 수 있다.

자기 공명 영상

자기 공명 영상(magnetic resonance imaging)은 신체에 방사선을 조사하지 않고, 신체를 영상화하는 방법이다. 또한 방사선 조사 없이 2차원, 3차원적 영상을 만들어 낼 수 있다. 자기 공명 영상은 다음과 함께 사용한다.

1. 큰 자석

2. 전자파

3. 컴퓨터

MRI에서 만들어지는 큰 자석과 자기장은 인체에 해롭지 않은 것으로 알려져 있다. 측두하악관절의 자기공명영상이 CT나 단층촬영 영상보다 정확성은 떨어지지만, 더욱 정교한 코일이 개발되면서 영상의 질과 선예도가 매우 향상되었다.

다음에 설명하는 내용은 UCSD 병원의 MRI 연구소가 환자에게 MR 스캐너 작업이 어떻게 진행되는지 소개하는 안내 책자에서 인용한 것이다.

MRI의 장점

1. 방사선을 조사하지 않는다.
2. 입을 다문 상태에서 관절원판의 위치와 모양을 볼 수 있다.
3. 입을 벌릴 때 관절원판이 움직이는지, 혹은 움직이지 않는지 볼 수 있다.
4. 'Dynamic MRI' 비디오 테이프처럼 영화 상영과 같은 형태로 움직임을 다양한 영상과 연결할 수 있다.
5. 과두의 병변과 개형(remodeling)을 볼 수 있다.
6. 관절 내 유출물을 볼 수 있다.
7. 유출물, 지방과 이단성(해리성) 골연골염(osteochondritis desicans), 무혈관성 괴사와 골관절증과 같은 병리적 상황을 볼 수 있다.

필자는 MRI가 많은 의사들에 의해 너무 남용되고 있다고 생각한다.

임상검사를 위한 적절한 사용

입을 벌릴 수 있는지 없는지, 통증은 있고 개구 시 하악의 변위가 없고, 하악 전방운동 시 변위가 없는지 혹은 통증이 있는지, 하악 측방운동 시 기능장애가 없는지 혹은 통증이 있는지, 관절에 하중이 가해질 때 통증의 여부, 이런 정보들이 관절원판의 전위 여부에 대한 충분한 정보를 제공해 준다.

또한 이런 임상검사는 관절원판의 움직임이 있는지의 여부, 움직인다면 어느 정도인지에 대한 충분한 정보를 제공해준다. 조금 더 경제적인 방법인 단층촬영도 과두의 모양과 위치에 대한 정확한 정보를 제공해 준다.

값비싼 MRI는 정확한 판단이 어려울 경우에만 사용한다. 또한 종양이나 다른 심각한 질환이 있는 경우에 유용하게 사용할 수 있다. 어떤 보험회사에서는 관절경 수술 전에 MRI를 통한 관절원판의 전위를 확인한 경우에만 보험을 인정해준다. 의사는 문제의 핵심을 알 수 있다. 필자는 외과의사나 보험회사가 모두 방어적인 의술이나 치과시술을 하게 한다고 생각한다. 의사의 의료소송에 대한 공포가 MRI가 필요 없다는 사실을 명백히 알면서도 MRI를 처방하게 만든다.

최후의 경고

진단을 바꾸거나 치료계획을 변경시킬 만큼의 정보를 제공해 주는 것이 아니라면, 과도한 검사나 방사선 촬영을 처방하지 않도록 하자.

영상화 기기

과거 몇 년 간 측두하악관절 영상화 분야에 대한 괄목할 만한 발전으로, 정상적인 경우와 질환이 있는 경우의 측두하악관절이 어떻게 기능하는지 보다 많은 이해를 할 수 있게 되었다.

미국에서는 측두하악관절 기능장애를 치료하는 많은 치과의사들이 Updegrave와 Weinberg가 제안했던 경두개 촬영법을 사용한다.

Teledyne Water Pik 사의 Accu-Rad 200과 300은 가장 많이 사용하는 경두개 촬영장비이고, 치과용 표준장비를 장착할 수 있다. 또한 측두하악관절에 대한 좋은 영상을 제공하지만, 병변이 의심될 때는 단층촬영을 지시하도록 한다.

파노라마 촬영은 치과에서 오랜 기간 일반적으로 많이 사용되어 왔다. 그러나 측두하악관절 영상화에서는 좋은 결과를 얻지 못했다. 측두하악관절이 상층 밖에 있고, 관절을 상층 안에 넣기 위해 머리를 회전시킬 경우 필름이 이를 재현하지 못하고 더욱 두꺼운 단층면만을 제공한다(6~10㎜).

새로운 파노라마 장비는 악골의 골절과 종양 진단에는 매우 가치가 있다. 게다가 더 새로워진 panoramic orthopantomographs는 측두하악관절에 대해 더욱 좋아진 영상을 제공해준다. 그러나 보정된 단층촬영이 여전히 더 정확하고 더 좋은 결과를 제공해준다.

치과용 단층촬영법은 측두하악관절을 영상화하는 다른 모든 방법들 중에서도 여전히 표준이 되고 있다.

가장 일반적이고 믿을 수 있는 장비는 Service Radiation Co.에서 만든 장비와 Quint Sectographs이다. 최근 몇 년 간 더 작고 더 정확한 치과용 단층촬영 장비가 개발되었고, Tomax가 대중적인 인기를 얻었다.

위에 언급한 모든 치과용 단층촬영 장비들이 정확하게 측두하악관절을 검사할 수 있고, 가격 또한 적절하다.

복합운동 단층촬영 혹은 다단층촬영(polytomcs)은 단층촬영에 가장 좋은 형태이다. 그러니 현재 남부 캘리포니아에 3대밖에 존재하지 않는다.

영상화 방법

관절원판의 방사선 촬영과 영상화는 몇 가지 다른 방법으로 얻을 수 있다. 각각의 방법은 그 장단점을 이해하면 알 수 있다.

꼭 기억해야 할 사항은 단층촬영은 단지 측두하악관절의 골성 혹은 골조직만을 영상화하는 것이고, 관절원판의 위치를 결정하는 데는 가치가 없다.

관절조영술

목적 : 관절의 천공확인

관절원판의 전위와 움직임 확인

방법 : 환자는 옆으로 눕고 아래쪽 관절강에 조영제를 주사한다. 환자에게 입을 벌리고 닫게 하고, 조영제의 움직임을 관찰한다. 이 방법은 정복성 관절원판 전방전위와 비정복성 관절원판 전방전위 진단에 유용하다.

영상의 질 : 진단을 위한 것이 아니라면 아주 좋다. 술자의 기술에 매우 민감하다. 숙달되지 못한 술자의 경우 심한 동통이 생길 수 있다. 전체 술식의 과정을 비디오 테이프화할 수 있어 시간이 날 때 볼 수 있다.

정확성 : 좋다.

전화화 단층촬영법

목적 : 측두하악관절의 골성 구조 확인

과두와 과두와의 관계 확인

Blink mode를 이용해 관절원판의 움직임을 확인(정확성은 의심스러움)한다.

*측두하악관절의 3차원적 골 모형을 만들 수 있다.

방법 : 환자가 누워서 CT장비속으로 이동하여 약 13~14 cuts 혹은 가가의 방향에서 촬영한다. 뇌 기저부에서부터 치근 상방까지 수직적으로 촬영한다.

*수직적인 영상은 거의 모든 방향으로 재구성할 수 있다(예를 들면 관상면과 시상면).

*때때로 외측익돌근의 건이 관절원판으로 오인되어 전위된 것으로 오진될 수 있다.

영상의 질 : 좋다.

정확성 : 가장 최근의 장비는 매우 정확하다.

자기공명영상법

목적 : 개구와 폐구 시 관절원판의 위치를 확인할 수 있다. Rachet과 mouth prop을 이용하는 GRASS 라고 불리는 방법을 통해 하악의 운동을 재현할 수 있다.

장점 : 환자가 방사선에 노출될 필요가 없다. 조영제를 필요로 하지 않아 주사하는 침습적 과정이 필요 없다.

단점 : 비용이 비싸다. 폐쇄공포증 환자는 진정과정이 필요하다. 환자가 40여 분 정도 꽉 막힌 관 속에 있어야 하므로 공포감을 느낄 수 있다.

영상의 질 : 비교적 좋지 않다. Polytome과 비교했을 때 골구조에 대한 선예도나 선명도가 떨어진다. 그러나 MRI의 장점은 관절원판의 모양과 위치를 영상화하는 능력이다. 또한 관절원판의 운동과 비운동상태를 결정하는데 사용할 수 있다.

*이 방법은 관절원판 두께가 감소하지 않은 경우(non-reducing disc) 진단을 위해 사용할 수 있는 방법이다.

측두하악관절 방사선학 : '다나카 시리즈'

측두하악관절 환자에 처방하는 방사선 촬영 : 'Tanaka series'

단층촬영

1   보정된 이하두정촬영
3*   시상면 촬영 : 4㎜ 간격으로, 각각의 방향에서, 교합한 상태에서(3~4장 촬영*아래 시상면 촬영 참고)
1   시상면 촬영 : 최대 개구 상태에서 각각의 방향에서(middle cut)
1   전후방 촬영(폐구 상태에서) : 경안와 혹은 경상악 촬영
전체 11장 촬영

이하두정촬영

1. 과두의 회전을 보상할 수 있는 보정된 촬영이어야 한다.
2. 과두가 후방 하악지의 상행부를 통과하도록 충분히 머리를 뒤로 젖혀준다.
3. 각 과두의 내·외측 폭을 측정할 수 있다.
4. 과두의 일반적인 형태를 확인할 수 있다.

시상면 촬영

*1. 시상면 촬영의 수는 과두의 내외측 폭에 따라 달라진다. 일반적으로 4㎜ 간격으로 최소 3장이 필요하다. 과두의 폭에 따라 더 촬영할 수 있다.
2. 치과용 단층촬영 : 시상면 촬영은 치과용 단층촬영을 이용할 때 사진의 번호를 4.2㎜, 4.6㎜, 5.0㎜, 5.4㎜ 등과 같이 표시한다. 이 숫자들은 4.0㎜ 간격으로 촬영되었다는 것을 의미한다. 각각의 영상은 1.0~1.5㎜ 두께로 분할된다. 각각의 사진이 내측에서 외측으로 촬영되므로, 작은 번호는 과두의 내측을, 큰 번호는 외측을 의미한다.
3. 의과용 단층촬영 : 시상면 촬영은 2.5㎜, 2.9㎜, 3.3㎜와 같이 사진의 번호를 표시한다. 필름의 상방에서부터 촬영하기 때문에 큰 번호는 과두의 외측을 의미한다.

Tanaka 'Scout' Series

양쪽 측두하악관절을 중심교합 상태에서 20도 정도 회전시켜, 2장의 시상면 촬영을 하고, 방사선은 과두의 중심부를 향한다.

만약 통증, 병변 확은 심한 과두 전위가 있거나 의심된다면, 전체 단층촬영 시리즈를 추천한다.

'선형 왜곡(Streaking)'

1. 치과용 단층촬영기(Quint Sectography)는 환자가 앉아서 촬영하고, 방사선 광원이 수평적으로 이동하기 때문에 수평적으로 나타난다.

2. 새로운 단층촬영기(Tome2000)에서는 수직적으로 보인다. 의과용 단층촬영에서도 이와 같이 보이는데, 환자가 누워서 촬영하기 때문에 방사선 광원이 환자 머리에서 발 방향으로 이동하는 동안 측두하악관절은 하방을 지향하고 있어, 선형왜곡이 위, 아래로 나타난다.

   *새로운 치과용 단층촬영장비(Tome 2000) 역시 수직적으로 방사선 광원이 진행하고, 공간을 적게 차지한다. 환자가 앉아서 촬영할 수 있다.

3. 선형 왜곡은 다른 복합운동을 사용하는 의과용 방사선 촬영법에서는 나타나지 않는다 : 원형, 타원형, 클로버 잎 모양(polytome)

참고문헌

1. Tanaka, TT, Radiography of the TMJ, ADA Scientific Session, 1971, San Francisco, CA.

2. Tanaka, TT, Radiography of the TMJ, TMJ Surgery Conference, 1993, UCSD School of Medicine, La Jolla, CA.

방사선 촬영방법 요약

방법	영상의 질	장점	단점
		평면단층촬영법	
경두개촬영법 (Accurad 300)	비교적 나쁘다.	장비가 싸다. / 표준형 치과용 방사선 장비 사용 / 외측극과 내측 골성 변화 확인	외측극의 영상만 명확하다. / 내측은 명확하지 않다.
경안와 촬영법	비교적 좋다.	과두 내외측 골성변화 확인 / 전후방 단층촬영에서만 관절와의 형태 확인	개구 제한 있는 환자 촬영 불가 / 눈에 방사선 직접조사
이하두정촬영법	비교적 나쁘다.	골격비대칭 확인 / 단층촬영의 수정 가능 / 과두 회전 확인	경추에 문제가 있는 환자에서는 촬영하기 어렵다.
		신체단층촬영법	
파노라마 촬영법	비교적 나쁘다.	치과에 유용한 장비를 사용 / 필름이 가격이 싸다. / 하악골절과 경상돌기 영상화에 가장 좋다.	관절 구조의 상의 왜곡 / 영상을 재구성할 수 없다. / 과두, 과두와의 관계가 부정확
이과용 단층촬영법	좋다.	골성 변화를 확인할 수 있다. / 골성 변화를 상세히 볼 수 있다.	수직적 선형 왜곡 / 과두와 과두와의 관계가 부정확 / 환자가 누워서 머리를 회전해 촬영하기 때문이다.
치과용 단층촬영법(선형) Quint Sectograph Tome 2000	비교적 좋다.	골성 변화 확인에 좋다. / 과두, 과두와 관계가 정확하다. / 환자가 긴장하지 않고 앉아서 촬영한다.	수평적 선형 왜곡
이과용 단층촬영법 클로버 잎 모양(polytome)	매우 좋다.	최고의 영상(선형 왜곡 없음) / 골성 변화 확인에 가장 좋다. / 과두, 과두와의 관계가 정확하다. / 환자가 앉아서 긴장하지 않고 촬영한다.	치과에서 쉽게 쓰기 어려운 장비 / 구입비가 매우 비싸다

방법	영상의 질	장점	단점
신체 분할촬영법(계속)			
전산화 단층촬영	매우 좋다.	골과 조직의 정보를 같이 얻을 수 있다. / 영상을 재구성할 수 있다. / 3차원적 모델을 만들 수 있다. / Blink mode에서 관절원판의 전방전위 확인 가능	단층촬영에 비해 비싸다. / 방사선 피폭량이 높다.
기타 방법			
관절 조영술	좋다.	관절원판과 부착조직을 영상화하는데 가장 좋다. / 관절원판 전방전위 확인할 수 있다.	조영제에 알러지 반응 / 통증 발생 가능 / 높은 방사선 피폭량
자기공명영상	좋다.	관절원판 전방전위 확인에 가장 좋다. / 종양과 성장 확인에 가장 좋다. / 근육과 주행 방향 영상화에 가장 좋다. / 관절원판 부착을 영상화하는데 가장 좋다.	매우 고가이다. / 폐색공포증 환자에 부적함 / 환자가 좁은 관에 오랫동안 홀로 남겨진다.

Chapter 16

기초적인 Splint 치료법

Splint 치료법은 치과의사들이 많이 사용하는 치료 중 하나이지만, 치료방법에 대한 이해는 부족하다. 치료에 사용되는 많은 이론과 방법들이 측두하악관절에 대한 해부학, 병리학, 생리기전인데, 이에 대한 이론적 이해가 부족한 것 같다. Splint를 왜 사용해야 하고 어떻게 작용하는지 이해가 부족해 오용한 결과, 환자는 고통스러워하고 술자는 혼란에 빠지게 된다.

이 장에서는 두경부 근수축성 동통과 악관절 내장증에 사용하는 splint 치료의 적응증과 적용방법에 대해 논의하기로 한다. 위의 2가지 질환은 splint 치료가 효과적이고, 가장 흔하게 접할 수 있는 질환이다.

근육통(근수축성 동통)

근육통은 가장 흔히 일어나는 두부와 안면 통증의 원인이며, 저작기능 증가와 같은 매우 다양한 원인이 있다.[1] 이런 근육통은 근육의 수축이나 안면이나 하악의 외상에 의한 스트레스성 상황에서 일어날 수 있다.

근육의 과활성 역시 이악물기, 이갈이와 같은 악습관에 의해 근육의 톤이 증가하여 일어날 수 있다.

심하게 계속 지속되는 이상기능은 뇌성마비와 구강안면 운동장애(orofacial dyskinesia), 간질과 같은 추체외로의 장애(extrapyramidal disorder)를 일으킬 수 있다.

기능성 활성화와 이상기능성 활성화는 매우 다른 임상 양상을 보인다.

기능성 활성화는 매우 잘 조절되는 근육의 활성화로, 저작계가 주위 조직에 최소한의 피해를 주면서 필요한 기능을 수행하는 것이다. 보호성 반사작용으로 기능 동안 불필요한 치아접촉을 막아준다. 이런 보호성 반사는 기능적 근육활성화를 억제하는 효과를 가진다.[3] 따라서 기능적 활성화는 교합의 직접적인 영향을 받는다.

이상기능성 활성화는 완전히 다른 기전에 의해 조절된다. 어떤 연구자들은 이상기능적 활성화는 치아 접촉에 의해 억제되는 대신, 어떤 치아 접촉에 의해 발생한다고 주장한다.[4,5] Rugh와 Orbach 등[4]의 전기근전도 연구결과는 매우 의미 있는 정보를 제공해주고 있다.[4]

근육통의 원인이 혈관성이라는 Lund 등의 주장과는 차이가 있지만, 아직도 두경부와 안면통의 주요 원인은 근육의 과활성으로 생각하고 있다.[6]

이상기능 때문에 근육이 적절한 휴식 없이 계속적으로 수축상태에 있으면, 근육의 피로로 진행된다는 것은 잘 알려진 사실이다. 만약 근육의 수축이 계속된다면 근육의 자기 보호 기능으로 동통성 근긴장(painless muscle splinting)이 일어날 것이다. 이 시기에 치과의사는 개구 제한, 국소적 근육통, 안면근과 목과 어깨에 일반적인 긴장감이 일어나는 것을 주의해야 한다. 만약 이악물기가 계속된다면 근육은 다음 단계인 동통성 근긴장으로 진행될 것이며, 이 단계에서는 휴식기에도 근육의 수축은 계속될 것이다.[7]

필자가 진료했던 이 시기의 환자는 개구 시, 하악의 측방운동, 저작 시에도 어려움을 호소하고, 교합접촉 조절도 되지 않을 정도였다.

몇 가지 중요한 임상증상은 다음과 같다.

1. Freeway space 상실 : 환자는 안정위나 하악운동 시나 항상 치아가 접촉하고 있다고 느낀다.
2. 과도한 교합감 : 환자는 자신의 교합접촉점을 혼동하게 된다. 환자는 교합접촉점을 인지하지 못하고 계속 교합접촉을 찾기 위해 시도해보지만, 전치만 닿는다고 설명한다. 이는 폐구근의 전상방으로 힘의 방향이 진행되기 때문에 폐구 초기 전치가 닿는 것이다.
3. 근육통 : 저작 시 안면통을 호소하는데, 아침에 먹는 햄과 토스트 같은 부드러운 음식을 먹을 때도 통증을 호소한다.

Splint가 효과가 있는 이유는 1) 근육의 고유 수용감각을 변화시키고, 2) 교합을 안정화시키고, 3) 측두하악관절에 가해지는 부가적 하중을 변화시켜 주는 능력 때문으로 생각된다.

지금부터는 현재 사용하는 splint의 적응증 및 금기증에 대해 간단히 설명하고자 한다.

장치의 종류

기본적인 splint의 종류는 3가지가 있다. 필자는 Type A, B, C로 분류하였다.[8]

Type A

일반적으로 안정장치, 야간보호장치, 이갈이장치, 차단장치(deprogramming splint) 등을 일컫는 것으로 이갈이나 이악물기로 인한 근육통으로 고통받는 환자에 추천된다. Type A 장치는 교합의 수직고경을 증가시키기 때문에 중심위 위치에서 제작해야 한다. 중심교합상태에서 만들 수도 있지만, 결국은 생리적 중심위 위치로 적응하게 된다.

Type A 교정장치는 전방유도를 지닌 회전적(rotational), 완전교합접촉 장치이다. 모든 대합치는 중심위에서 splint에 접촉되어야 한다. 경질 아크릴릭 레진으로 후방으로 갈수록 최후방구치사이가 최소가 되도록(1.0~1.5㎜) 제작한다. 이갈이나 이악물기와 같은 악습관을 가진 환자와 운동성 통증과 기능장애가 있는 환자에 사용한다. 상·하악 모두에 적용할 수 있으나, 잔존 치열의 상태나 상실치, 교합형태 혹은 부정교합 등의 요소를 고려해서 제작한다.

전방유도를 부여할 수 있도록 가능한 상악에 추천된다. 야간 이갈이나 이악물기 환자에는 취침 동안 장착할 것을 권한다. 야간 이갈이나 이악물기 환자의 경우, 장치는 환자가 누워있는 상태에서 조정한다.

만약 환자의 이상기능이 낮에 일어난다면 장치는 상악에 만들고, 환자가 앉아 있는 상태에서의 중심위에 맞추어 교합조정을 한다. 중심교합으로 제작할 수도 있다. 이상기능이 밤과 낮에 모두 일어난다면, 장치는 앉아있는 자세와 누운 자세 모두에 맞춰 조정한다. 이런 형태의 장치는 측두하악관절의 경미한 장애가 있거나 경미한 통증이 있을 때 완화시켜 줄 수 있고, 근육수축성 통증으로 인한 부가적 하중으로 발생하는 기능장애를 완화시켜 줄 수도 있다.

꼭 기억해야 할 중요한 점은 splint가 치아에 가해지는 하중을 덜어주면, 관절에 가해지는 하중도 덜어준다는 사실이다.

근육과 관절의 기능장애가 해결되면 splint는 중심위 위치로 조정되어 있을 것이고, 밤에만 착용하거나, 필요하면 낮에도 착용할 수 있다. 이 시기에 splint 표면을 중심위 위치로 재조정해줄 필요가 있다. 약 90% 정도가 이런 유형의 장치이다.

TYPE B

이 교정장치는 전방유도를 지닌 회전적(rotational), 완전교합장치이고, 중심위에서 대합치가 모두 접촉해야 한다.

이 장치의 목적은 다음과 같다.

1. 심한 마모로 인해 상실된 수직고경의 회복
2. 치주인대 내 감각신경 섬유를 통해 하중을 받는 근육과 통증을 피하기 위해 경직된 근육에 물리적인 효과를 얻기 위해
3. 좀더 정상적인 근육의 휴식 시 길이 회복을 위해

교합이 상실되어 있기 때문에 장치의 두께는 후방교합 부위에서 더 두꺼워야 하지만, freeway space를 침범해서는 안 된다. Type A 장치보다는 모든 부위에서 더 두꺼워야 한다. 이런 splint는 Class II-Div. I과 Div. II(deep bite) 환자에 가장 많이 사용된다. 교합재건을 시행할 계획이 있는 경우 모형을 교합기에 장착하고, 왁스 모형을 원하는 수직고경이 되도록 만든다. Splint는 회복해줄 수직고경에 맞춰 제작한다. 근육이 새로운 수직고경에 적응하도록 3~5개월 정도 splint를 착용한다. 필자가 주지하고자 하는 부분은 환자가 증가된 수직고경에 적응할 충분한 기간을 갖지 못한 경우, 어떤 환자들은 새

로운 splint에 이상기능이 발생할 수 있다는 점이다.

"Type A, Type B splint 모두 비록 두께는 다르지만, 둘 다 같은 회전축과 같은 폐구로를 기준으로 제작되기 때문에 과두와 내 과두의 위치를 변화시켜 주지는 못한다."

초기 관절잡음과 거대 관절음이 사라졌다고 해도 장치의 높이는 계속 유지해주어야 한다. 또한 환자가 편하다고 느끼더라도 교정치료나 보철치료 등으로 상실된 수직고경을 영구적으로 회복시켜주기 전까지는 계속해서 24시간 착용해야한다. Deep bite(Class II-Div. II) 환자의 경우 splint를 교정이나 보철치료로 최종치료를 시작하기 전 3~5개월 정도 하루 종일 착용하도록 하고, 그렇지 않은 경우 splint를 교정장치의 일환으로 사용할 수 있다.

치료동안 Type B 장치는 하루 종일 식사 시에도 착용하고 있어야한다. 아주 드물게 치아 intrusion이 일어날 수도 있다. 만약 장치의 두께가 너무 두껍다고 의심될 때는 발음검사를 시행할 수 있다. 환자에게 'M, M, M' 혹은 'N, N, N'이나 'hummmm, hummmm'을 반복적으로 발음하게 한다. 다른 방법으로는 'hiss, church, judge' 등을 발음하게 하는 방법도 있다. 만약 splint가 너무 두껍고 freeway space를 방해하는 경우, 발음하는 동안 환자의 치아와 장치가 접촉하게 된다. 이런 간섭을 재개하기 위해 높이를 조정할 수 있다. Type A, B 장치 모두 가급적 중심위 상태에서 만들어 주도록 한다.

TYPE C

TYPE C는 다음과 같은 경우에 사용한다.

1. 과두와 관절융기의 사이가 매우 가까워진 골-골 관계에서 심한 관절염이나 관절증이 있는 환자의 경우 하악을 재위치시킬 때 사용한다.
2. 급성 관절원판 전위가 있는 경우 회복되지 않은 관절원판을 재위치시켜 줄 때 사용한다.
3. 기능장애나 통증으로 인해 과두의 위치가 심하게 전위되어 있을 경우, 과두를 재위치시키기 위해 사용한다.

전위된 관절원판을 성공적으로 재위치시키기 위해서는 다음과 같은 사항을 이해해야 한다.

(1) 후방인대 변형이 일어나기 전에 초기에(3~4주 이내) 진단하고 치료해야 한다.

(2) 측방부 인대에 과도한 문제가 발생하기 전에 치료해야 한다.

관절원판이 갑자기 전방함요 부위로 완전히 전위되는 경우는 거의 없다.[9,10,11] 대신 관절원판 전위는 외측극 쪽으로 점차적으로 발생하고, 개구 초기와 폐구 후기에 관절음이 들린다. 만약 전위가 계속된다면 왕복관절음과 함께 개구 후기에 들린다(그림 참조 : 전위된 관절원판, 전위된 관절원판 재위치).

"치과의사가 꼭 이해하고 있어야 하는 점은 편안감과 상대적 정상기능(정상적인 범위 내 기능)은 관절원판이 전위되어 있어도 얻을 수 있다."

그런 이유로 splint를 이용해 하악을 재위치시키려고 할 때 3~4주 이내에 초기 시작 위치까지 편안감을 성취한 후까지 하악과 치아를 재위치시키기 위한 노력을 해야 한다. 이런 노력은 불필요한 보철적 수복물이나 교정적 치료를 피하기 위함이다.

필자는 이 교정장치를 전방 절치 유도를 가지는 재위치 장치로 설명했다. 목적은 임시적으로(2~4주 동안), 물리적으로 관절원판이 적절한 위치에 재위치할 수 있도록 관절강 내 적절한 공간을 만들어 주기 위함이다. 과두 재위치 확인은 보정된 측두하악관절 단층촬영으로 확인할 수 있다.[12] 재위치 장치가 관절에 하중을 주지 않는 것은 아니다. 관절의 다른 부분에 하중이 가해지도록 하는 것이다.

Type C splint 제작방법

- 1단계 : 안궁이전(facebow transfer)을 통해 모형을 교합기에 장착한다.
- 2단계 : 과두를 관절와에 재위치시키기 위한 작업을 하기 전에 절치유도핀을 2㎜ 정도 연다. 이는 하악모형을 재위치할 때 치아에 의해 간섭받는 것을 예방하기 위해서이다.
- 3단계 : 과두가 재위치되었으면 관절구조에 부가적 하중을 감소시키기 위해 관절강의 공간을 증가 시키거나 관절와 내 과두를 재위치시킨다.
- 4단계 : 환자는 새로 착용된 splint로 아무 어려움 없이 바로 저작할 수 있어야 한다. 모든 재위치 splint는 최소한의 두께로 제작해야 하고, freeway space를 침해해서는 안 된다.

급성 전위의 경우 통증의 증상이 사라지고 관절원판이 과두와 관절융기 사이의 정상적인 해부학적 위치로 회복되면, 장치는 몇 주 내 생리적 중심위 위치로 적응하게 될 것이다. 관절원판의 두께가 감소하지 않은 경우 같은 과정이 일어나지만, 통증의 증상이 반복되면 다시 기능 회복을 위한 치료가 되어야 한다. 치료가 되었음을 확인하는 방법은 식사 시나 기능적 운동 시, 관절에 하중을 가했을 때 불편감이 없는 것으로 확인할 수 있다. 교정적 치료와 함께 항염제 투여와 물리치료를 병행할 수 있다.

드문 경우이기는 하지만, 통증과 기능장애를 동반한 심한 과두의 전위가 있는 경우에도 과두가 재위치되면 계속 그 위치에 남아있다. 예를 들어 관절강이 없어진 관절염 환자의 경우 골과 골 관계를 분리시키기 위해 splint를 사용할 수 있다. 환자가 splint 착용 최소 6개월 정도 편안감을 느끼고 있다면 관절강이나 교합관계를 영구적으로 유지하기 위해 금관 수복물 등을 제작할 수 있다. 만약 경제적인 이유 때문에 어렵다면, 몇 년 간 splint를 사용할 수 있다.

이 시기에 환자는 splint를 착용한 상태로 방사선 검사를 받는 것이 좋다. 폐구 상태에서 정중시상면 상에 교합기에서처럼 과두가 과두와 내에 재위치되어 있는 것을 볼 수 있을 것이다.

전위가 최근에 일어난 경우 이런 형태의 장치가 전위된 관절원판을 재위치시켜 주는데 적절하다. Splint 치료 4~6개월 전에 발생한 경우 TypeC 장치는 증상을 완화시켜 줄 수 있을 뿐, 관절원판을 재위치시켜주는 것은 의심스럽다.

Type C splint와 물리치료를 했어도 3~4주 내에 관절원판이 재위치되지 않은 경우 보존적인 치료는 성공할 것으로 생각되지 않고, 원판 후조직 이층판조직에서 관절원판을 제거하는 치료를(off the disc) 해야 될 것으로 생각된다.

요약

Splint 치료의 이론적 사용은 측두하악관절 해부학에 대한 이해와 어떻게 이 구조들이 기능을 하는지에 대한 이해에 기초를 두고 있다. 이런 관점에서 기능이상은 쉽고 정확하게 진단할 수 있으며, 적절한 치료만 행해진다면 환자에게 보다 나은 문제 해결을 해줄 수 있다.

Splint 치료 요약

Type A, B Appliances

1. 낮 동안의 이상기능 치료를 위해 사용되는 안정화 장치는 고유 수용감각을 변화시켜서 이상기능을 감소시켜 준다.
2. 야간 이상기능 치료에 사용되는 야간 보호장치는 치아를 보호하는데 사용된다.
3. 과도한 교합인식(positive occlusal sense) 환자에게 차단장치[deprogramming appliance (biofeedback device)]를 사용한다. Biofeedback을 위해 splint 치료를 받고 있는 환자는 치아나 교합에만 중점(focusing)을 두지 않고, 스트레스 조절을 위해 정신과 전문의와의 상담을 권한다. 근육의 고유 수용감각을 변화시킨다.
4. 가능한 중심위 상태로 제작하지만, 그렇지 못한 경우 중심교합으로 제작할 수 있고, 최종 수복물을 제작하기 전에 중심위 상태로 적응될 것이다.
5. 경질 아크릴릭 레진으로 만든다.
6. 하악에 제작할 수 있지만, 가능한 한 상악에 제작한다.
7. 전치 유도교합(견치보호 교합)으로 제작한다. 후방치아는 완전히 교합되어야 한다.

환자 교육 : 장치를 언제 착용하는가?

1. 잠잘 때 착용 : 가능한 한 바로 누워 잘 것을 권한다. 탈장이나 정형외과적 문제가 있는 경우는 예외이다. Class II 전방 개교합과 같은 심한 골격성 부정교합이 있는 환자의 경우에는 옆으로 누워 자게 한다.
2. 낮이나 어느 때는 필요할 때 착용한다(스트레스 활성화).
3. 중심위로 제작되어 있기 때문에 장기간 착용할 경우 마모될 수 있다.
4. Type A 장치는 저작 시나 말할 때는 착용하지 않는다(저작 시나 말할 때는 이악물기를 하지 않음).
5. 환자에게 최종적으로 장치를 착용시켜 줄 때 교합이 변화될 수 있고, 교정치료나 혹은 악교정수술이 필요할 수도 있다는 사항을 주지시켜 준다.

Type C 재위치 장치의 적응증

1. 동통과 기능장애와 연관 있는 골대골 관계. 단층촬영 사진상 골관절증이나 관절염이 있고 동통과 기능장애가 있는 경우
2. 최근에 동통을 동반한 관절 원판 전위(1~4주)
3. Type A splint와 NSAIDs와 물리치료에 완화되지 않는 동통을 동반한 과두의 부정위치

Type C 장치 제작과정

1. 초기 상담과 평가 후 물리치료 전문가와 상담할 것을 권한다.
2. 중심교합과 중심위 상태로 교합기에 모형을 장착한다.
3. 과두를 재위치 하기 전에 절치유도핀을 2㎜ 정도 개방한다.
4. 중심교합 상태로 제작된 모형을 교합기 내에서 과두를 재위치시킨다. 측두하악관절 단층촬영을 통해 과두가 얼마나 이동했는지 확인한다.
5. 상악에 splint를 제작하고 착용시킨다.
6. Splint를 위치시킨 후 방사선 촬영을 한다.

치료 단계

1. 안궁이전을 통해 중심위 관계로 연구 모델을 제작하여 검사, 토의한다. 방사선 검사를 시행한다. 물리치료를 의뢰한다(Rx: NSAIDs and/or stress management ASAP).
2. A와 B장치를 착용시키고 앉아있거나 누워있을 때 교합에 맞게 조정한다.
3. 환자에게 최종적으로 장치를 착용시켜 줄 때 교합이 변화될 수 있고, 교정치료나 혹은 악교정수술이 필요할 수도 있다는 사항을 주지시켜 준다.
4. 착용 1주일 후 내원시켜 검사하고, 필요하면 장치를 조정한다. Type C 장치를 착용하고 있는 환자의 경우에는 방사선 검사를 시행한다.
5. 3~4주 후 재 내원시켜 재평가하고, 필요 시 장치를 재평가한다.
6. A, B splint의 경우 초기 증상이 사라진 경우에도 계속 splint를 장착하도록 한다.
7. Type B, C 장치의 경우 식사 시에도 착용하도록 한다.

언제 splint를 착용해야 하는가? 낮 혹은 밤?

만약 환자가 아침에 일어났을 때 안면에 통증(교근)을 느끼거나 두통을 호소하고, 9시나 10시 정도 되어 통증이 사라질 때 밤 동안의 이갈이나 이악물기를 의심할 수 있고, 이 경우 장치는 취침하는 동안 착용하도록 한다.

만약 환자가 아침에 일어나서는 아무 불편감이 없지만, 낮에 통증과 불편감을 호소하는 경우 낮 동안의 이악물기나 이갈이를 의심할 수 있고, 장치는 낮에만 착용하도록 한다.

만약 아침에 일어나서 느끼는 안면의 통증과 기능장애가 낮에도 사라지지 않고 계속되는 경우, 식사나 대화 시를 제외하고는 교정장치를 하루 종일 착용하도록 한다.

얼마나 오랜 기간 splint를 착용해야 하는가?

밤에만 splint를 착용하는 환자의 경우 증상이 사라지고 편안감을 느끼더라도, 필자는 8주정도 사용하기를 권한다. 첫 주는 2일에 한 번, 둘째 주는 3일에 한 번, 셋째 주는 4일에 한 번, 그 후로는 1주에 한 번 착용하도록 한다.

낮에만 splint를 사용하는 환자의 경우 필자는 적어도 8주 정도 사용할 것을 권한다. 첫 주는 2일에 한 번, 둘째 주는 3일에 한 번, 셋째 주는 4일에 한 번, 넷째 주는 5일에 한 번 사용하도록 한다. 그 후에는 필요 시에만 착용하도록 한다. 환자는 어떤 부분의 활성화 때문에 이갈이와 이악물기가 일어날 수 있다는 것을 알아야 한다.

Splint를 어떻게 관리할 것인가?

1. 손으로 꼭 붙잡고 청소하도록 한다. 깨지지 않도록 주의한다.
2. 치약과 칫솔로 깨끗이 청소한다.
3. 1주일에 한 번 정도 식초에 2시간 정도 담구어 흰색 칼슘을 분해할 수 있도록 하고, 치약과 칫솔로 깨끗이 씻어낸다.
4. 플라스틱 교정용 장치 보관함을 주어 splint를 보관하여 휴대할 수 있도록 한다. 어린이 손에 닿지 않는 곳에 보관하도록 한다.

반조절성 교합기 사용방법

장치를 제작할 때 수직고경이 증가된 상태에서 제작하게 된다. 교정장치를 제작할 때 수직고경이 변화된 상태에서 만들어야 하기 때문에, 반조절성 교합기를 사용해야 한다. 두개에 대한 상악의 적절한 위치로 교합기에 장착하기 위해서는 안궁이전이 필요하고, 중심위 관계를 정확하게 재현할 수 있다.

하악모형은 상악과의 중심 교합관계로 모형에 장착하는데, 그 이유는 다음과 같다.

1. 모형을 전방으로 위치시켜 주면 수축되어 있는 내측 익돌근을 이완시켜, 초기 근수축성 동통을 해결해 줄 수 있다.
2. 하악을 중심위 관계로 위치시키기 위해 후방으로 위치시키면, 근육성 통증이 있는 경우 근육의 보상성 수축을 야기하고 더욱 진행된 통증을 일으켜, 환자와 술자는 혼란스럽게 될 것이다.
3. 근육이 이완되고 근육 수축성 통증이 사라지면, 하악은 생리적 안정위로 재위치되고 생리적 중심위 관계가 결정된다.

야간 보호장치를 제작하는 경우 접번 교합기로 제작할 수도 있다. 장치는 밤과 낮에 사용하는 경우에 따라 자세에 따른 교합의 관계가 달라지기 때문에 앉아 있는 경우 누워 있는 경우에 맞춰 조정해야 한다.

Splint 제작을 위해 안궁이전 시 중요한 사항

그림 A, B : 상악의 모형이 안궁이전을 통해 반조절성 교합기에 적절하게 장착한 경우, 하악모형의 본래 하악의 폐구로와 매우 유사한 폐구로를 가질 것이다.

그림 C : 만약 상·하악 모형이 접번교합기에 장착된 경우 후방 교합평면은 비정상적으로 낮아질 것이며, 구강 내 장착된 splint는 회전축으로 작용하게 된다.

그림 D : 상·하악 모형이 접번교합기에 장착된 경우 전방 교합평면은 비장상적으로 낮아질 것이며, splint에 전치만 접촉되고 후방지지 효과는 얻을 수 없고, 그 결과 측두하악관절에 하중과 통증의 증가를 가져올 것이다.

참고문헌

1. Bell WE: Orofacial Pains, 3rd ED., Chicago, YearBook Publishers, Inc. 1985, p. 76.

2. "The Extrapyramidal Disorder," Fahn S: Cecil Textbook of Medicine, Vol. 2., Philadelphia, WB Saunders, 1985, p2070-2077.

3. Sessle BJ: In Roth GI, Calmes, R. (Editors): Oral Biology, St. Louis: CV Mosby, 1989, p. 61.

4. Rugh, JD, Orbach, R: Occlusal parafunction. In Mohl, N. et al, (Editors): Textbook of Occlusion. Lombard, IL Quintessence, 1988, pp. 259-261.

5. Okeson, JP: Management of Temporomandibular Disorders, 2nd Ed. St. Louis: CV Mosby, 1989, pp. 152-172.

6. Villarosa, GA, Moss, RA: "Oral behavior patterns as factors contributing to the development of head and facial pain." J Prosthet Dent. 54:427-430. 1985.

7. Bell, WE: Temporomandibular Disorders, 2nd Ed., Chicago, YearBook Publishers, 1986, pp. 66-67.

8. Tanaka, TT: "A Diagnostic and Therapeutic Approach for Head, Neck and TMJ Disorders for Restorative Dentists,: 4th Ed., Chula Vista,: Clinical Research Foundation, 1989, pp. 11-21.

9. Juniper, RP: "The pathogenesis and investigation of TMJ dysfunction": Brit J Oral Max Surgery, 25:105-112, 1987.

10. Westesson, PL, Katzberg: "Sideways displacement of the disc." Oral Surg Oral Med Oral Pathol, 1989.

11. Moses, JJ, Topper, DC: "A functional approach to the treatment of temporomandibular joint internal derangement," J Craniomandib. Disorders.

12. Tanaka, TT: "ABCs of Splint Therapy, an educational videotape," Chula Vista, Clinical Research Foundation, 1997.

Terry T. Tanaka, D.D.S
관절원판 전위 흐름표

관절원판 전위
· 정복성
· 통증은 없다.

|

3~4주 중심위의 안정화 장치

|

최종 수복

Terry T. Tanaka, D.D.S
관절원판 전위 흐름표

관절원판 전위
· 비정복성
· 통증은 없다.
· 개구 제한 동반

|

6~8주 안정화 장치
물리치료
개구 범위 증가를 위한 운동

|

통증은 없고, 개구량 35~40㎜

|

12~16주 안정화 장치 사용

|

최종 수복

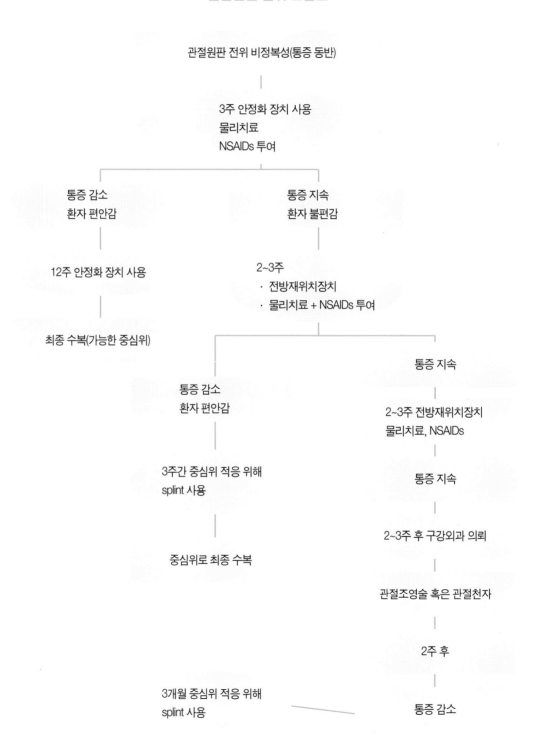

관절원판 전위 흐름표

Terry T. Tanaka, D.D.S
관절원판 전위 흐름표

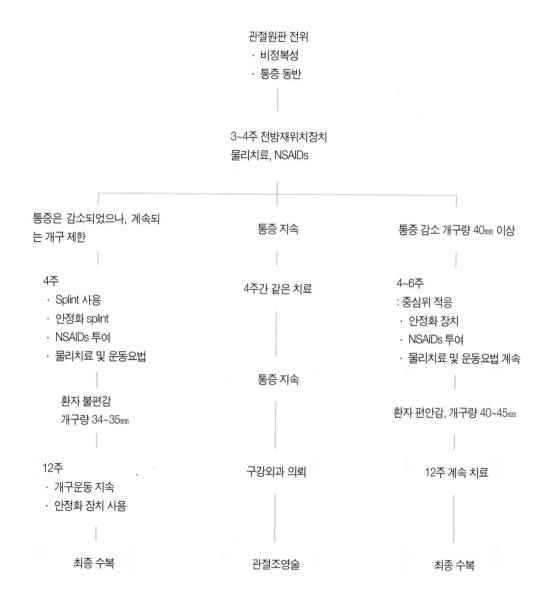

관절원판 전위
· 비정복성
· 통증 동반

3~4주 전방재위치장치
물리치료, NSAIDs

| 통증은 감소되었으나, 계속되는 개구 제한 | 통증 지속 | 통증 감소 개구량 40㎜ 이상 |

4주
· Splint 사용
· 안정화 splint
· NSAIDs 투여
· 물리치료 및 운동요법

4주간 같은 치료

4~6주
: 중심위 적응
· 안정화 장치
· NSAIDs 투여
· 물리치료 및 운동요법 계속

환자 불편감
개구량 34~35㎜

통증 지속

환자 편안감, 개구량 40~45㎜

12주
· 개구운동 지속
· 안정화 장치 사용

구강외과 의뢰

12주 계속 치료

최종 수복

관절조영술

최종 수복

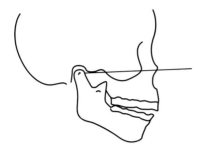

Type A

장치 Type A는 최후방 구치 사이의 1-2mm 이개 상태에서 만들어진다. 관절와 내의 관절과두의 위치는 변하지 않는다.

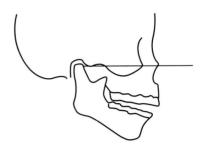

Type B

장치 Type B는 최후방 구치 사이의 2-4mm 되도록 만들고 피개 교합인 경우에 효과적이다. 관절와 내에서 관절과두의 위치는 변하지 않는다.

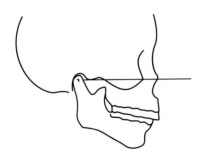

Type C

Type C는 이상 기능으로 관절과두나 관절원판이 변위되었거나 관절염 상태를 위해 사용된다.

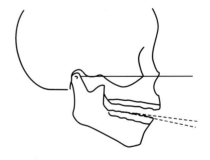

Type C

Type C를 위해서 모형을 mounting한 후 절치핀을 2mm 뜨게 하고 관절와에서 관절과두를 재위치시킨다.

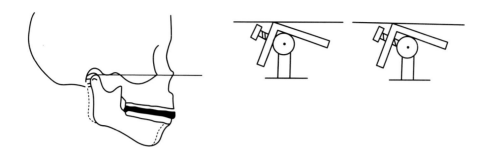

Type C

Type C로 관절와 내에서 관절과두를 정확하게 재위치시킬 수 있다. 단층 X-ray에서 1-5일 동안 위치가 다양하다.

장치는 구치부에서 더 두꺼워질 수 있다. 관절과두가 재위치되므로 환자는 전치부가 닿기 전에 구치부가 닿을 것이다.

관절와 내에서 관절과두가 재위치되기 위해서는 최소 1-5일 동안 걸리고 단층 X-ray 사진에서 새로운 위치를 확인할 수 있다.

치료의 일부분으로 관절과두가 재위치될 때 언제나 과두가 위치되는 곳과 재위치된 과두가 주변조직과 근육조직에 작용하는 것을 알아야 한다.

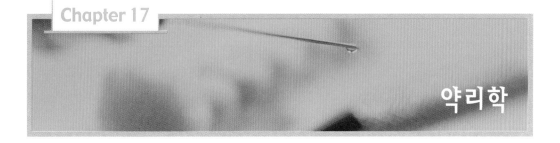

Chapter 17

약리학

동통의 모형

모든 신체 통증 중 80~90%가 근골격계에 의한 것이다. 대부분의 경우에 명확한 기능장애가 있는 것은 아니다. 그러나 기계적인 관절의 변위이나 관절의 염증이 부가적으로 발생할 경우에 근육의 통증과 불편감을 야기한다. 환자가 정신적, 육체적으로 건강한 상태라면, 간단한 치료(휴식, 간단한 진통제나 NSAIDs)로 불편감을 조절할 수 있다.

조직 손상이 있는 경우에 다른 근육과 구조들이 조직계를 지지함으로써 회복이 일어나게 된다. 다른 근육과 조직들이 회복하려는 기능은 생리적인 한계에 다다르게 되고, 적응기전(coping mechanisms)이 평가받게 된다. 적절한 적응기술(coping skill)이 있다면 환자는 최소한의 외부수단으로 치유가 되지만, 적절한 적응기술이 없으면 간단한 약물 혹은 광범위하고 다양한 약물 투여의 도움을 받아야 한다.

불행하게도 현재의 TV세대들은 인생의 모든 문제를 30분 이내에 해결하기를 원한다. 통증 클리닉에 오는 환자들은 질병의 기적적인 치료나 기적적인 알약 하나에 그들의 질환이 치료되기를 기대하면서 찾아온다.

아마도 그런 기적적인 알약은 쉽게 구할 수 있을 것이다. 사실 PDR(Physician's Desk Reference, 1994) 2,669페이지에 달해서 약이 소개되어 있다. 거기에서 그 중 하나를 찾을 수 있다.

의사의 의무는 언제 약을 써야 할 것이고, 무슨 약을 써야 할 것이며, 얼마나 많이, 얼마나 오래 투여할 것인지를 결정하는 것이다. 첫 번째로 의사는 약리작용을 반드시 알아야 한다. 예를 들어, 근육이완제가 근육에 직접 작용을 하는지 혹은 중추신경계를 통해서 근육을 이완시키는지 알아야 한다. 만약 중추신경계에 작용하는 약을 투여했을 때, 운동 반사에 영향을 미치기 때문에 자동차를 운전하는 것은 매우 위험하다.

이 장에서는 급성과 만성 통증을 가지고 있는 환자를 치료하는데 현재 가장 많이 사용하는 몇 가지 약들에 관해 요약해 보겠다. 긴 반감기와 부작용의 가능성이 높은 약물은 목록에서 제외했다. 가정에서 사용하는 약물 또한 제외했다.

Non-steroidal anti-inflammatory drugs(NSAIDs)

1년에 1억 개가 넘는 NSAIDs가 처방되고, 20여 종류 이상의 NSAIDs를 사용하고 있다(1994).

Actions-anti-inflammatory

· 진통작용
· 해열작용
· 혈액응고 억제

약리작용

· Prostaglandin 억제 - 합성(via cylclooxygenase pathway)
· Leukotriene 억제 - 합성(via lipoxygenase pathway)
· PMN 응집, 활성화, 육아 생성 억제
· 산기(Oxygen radical)/과산화음이온(superoxide anion) 생성 억제
· 다른 기전 - T-cell 기능 변화

고려사항

· 통증의 원인 확인 : 기계적, 염증성
· 통증의 원인을 빨리 완화시킬 필요가 있는지 확인한다.
· 환자의 나이
· 환자의 상태와 약물을 고려한다.

약물동태학

· NSAIDs는 약한 유기산이고, 위의 pH에서 이온화되지 않으며, 지방에 잘 녹는다.
· NSAIDs는 긴 반감기(>6hrs.)를 갖는 것과 짧은 반감기(<6hrs.)를 갖는 것으로 분류한다.
· 거의 대부분 95% 이상의 NSAIDs가 단백질과 결합하고, 간에서 대사되며, 소변으로 배설된다.
· 염증성 관절은 pH가 낮다.
· NSAIDs는 염증이 생긴 활액조직에 농축된다.

분류

· Salicylates
· Proprionic acids
· Acetic acids
· Oxicams

NSAIDs

Salicylates

Aspirin : (325㎎ per tablet)

· 항염제로 가장 많이 사용되고 있다.
· 중독성이 있다.
· 적절한 혈중농도가 유지되어야 한다. 효과적인 혈중농도는 최소한 20㎎, 유효량은 20%, 중독성 혈중농도는 25%. 5㎎ per cent는 매우 좁은 안전범위임을 주의해야 한다.
· Aspirin을 해열작용으로 투여 시 2~4개를 투여한다.
· Aspirin을 항염작용으로 투여 시 1일 2~3g을 유지한다.
· Rx : Anti-inflammatory dosage
· Rx : Aspirin tabs-3tabs QID/3~6 gr.
· Aspirin은 혈소판의 응고작용을 억제하여 출혈시간을 증가시키므로, 수술 전에는 절대 투여해서는 안 된다.
· Aspirin은 항상 음식이나 주스와 함께 복용한다.

Trilisate-non-acetylated aspirin

· 용량 : 500㎎ tablet, 750㎎ tablet
· 하루 두 번 복용
· Aspirin에 부작용을 갖는 환자에게는 절대 NSAIDs를 처방하지 않고, Trilisate를 처방한다.

Proprionic Acid : 짧은 반감기(가장 안전한 NSAIDs)

Ibuprofen - Motrin Advil, Nuprin, Medipren과 유사

· 400㎎, 600㎎, 800㎎ 알약으로 공급된다.
· 처방전 없이 200㎎의 알약을 살 수 있다.
· 하루에 2,400㎎을 초과해서는 안 된다.
· 600㎎ 하루 세 번 음식이나 주스와 함께 복용한다.
· 근육에 통증과 관절낭염의 항염 작용에 가장 좋다.

Naprosyn (Naproxen, Aleve)

· 250㎎, 375㎎, 500㎎ 알약으로 공급된다.

· 500㎎ 하루 두 번 아침 저녁으로 음식이나 주스와 함께 복용한다.
· 하루 최대 투여량 = 1,250㎎/day
· 급성 동통이 있는 관절염 환자에 투여

Indole Acetic Acid

Clinoril (Sulindae)

· 150㎎ 알약으로 공급된다.
· 150㎎ 하루 두 번 아침 저녁 음식과 함께 복용한다.
· 하루 최대 투여량 = 400㎎/day
· 관절염에 좋은 NSAIDs

기타 NSAIDs

CATAFLAM(Diclofenac sodium)

· Voltarin보다 빠르고 높은 흡수율(50%)을 보인다.
· 관절염에 사용한다.

VOLTARIN(Diclofenac sodium)

· 약리작용이 늦게 나타나고, 십이지장에서 분해된다.
· 음식은 흡수(10%)를 방해한다.
· 근육통과 관절염에 사용한다.
  -항염, 해열, 진통자용
  -Prostaglandin 합성 억제

RELAFEN(Nambumetone)

· 항염, 해열, 진통 작용
· 음식과 함께 복용하면 흡수가 증가한다.
· Prostaglandin 합성 억제
· 퇴행성 관절과 골관절염에 매우 효과적이다.
Rx : 500㎎ tablet. 1 tablet을 하루 두 번 음식과 함께 복용한다.

NSAIDs를 처방할 때 주의사항

- 약효를 나타낼 수 있는 최대 용량을 투여한다.
- 약물투여를 결정했으면 최소한 10일 이상을 투여한다.
- 환자의 직업을 고려하여 위험성이 없는 약물을 투여한다(짧은 반감기의 약물).
- 모든 NSAIDs의 가격은 비슷하다.
- 독성반응이 나타났을 때는 즉시 내과의사나 류머티스 전문가에게 의뢰한다.

의뢰할 때

- 병력검사를 통해서 알려지나 독성의 가능성이 의심이 가면, 처방하기 전에 먼저 내과의사나 류머티스 전문가에게 의뢰한다.

골관절염의 기전과 퇴행성 변화

- 골관절염인 경우 수산화 인회석 결정체가 관절에 축적되어 대식세포수가 증가한다.
- 이런 대식세포는 관절 내 콜라겐 분해 효소의 생산을 야기한다.
- 콜라겐 분해효소는 기질과 연골을 분해해 염증을 활성화시킨다.
- 이런 염증은 위축을 야기하는 근육의 이완반사를 일으킨다.
- 골관절염이나 류머티스성 질환의 경우, 투약으로 질환의 자연적인 진행과정을 변화시킬 수는 없고, 단지 질환의 증상만을 치료할 수 있을 뿐이다.

약물과 작용

Elavil

- 흥분을 억제하고 진정효과를 갖는 항우울제(Tricyclic) : Mono amine oxidase inhibitor는 아니다.
- 적응증 : 우울증상 완화. 술과 함께 먹어서는 안 된다.
- 수면 시 이갈나 이악물기 환자에 처방한다(취침 전 5~10㎎).
- 21일 이상 계속 투여해서는 안 된다.
- 운동기능에 영향을 미친다.

Valium(diazepam)

- 변형계에 작용한다. 운동기능에 영향을 미친다.
- 적응증 : 스트레스로 인한 긴장과 흥분 상태를 완화시켜 준다. 긴장, 흥분, 불안, 피로, 우울증상 혹은 초조증상을 보이는 신경정신과적 상태에 유용하다. 반사성 경련, 국소적 병인(근육, 관절,

혹은 외상에 의한 2차적 염증과 같은)에 의한 골격근 경련을 완화시켜 준다.

· 주의사항 : Narcotics, barbiturates, MAO inhibitor나 다른 항우울제와 함께 복용해서는 안 된다.

근육이완제

FLEXERIL(CYCLOBENZOPINE HCL)

· 골격근의 경련 이완

· 뇌간의 중추신경계에 작용(운동기능에 영향을 줌)한다.

· 하루 30㎎까지 사용 가능

· 안면 동통 환자에 취침 전 1/2 tab. 이나 1 tab. 투여

· 필자는 취침 전 1/2알 또는 1알을 처방한다. 예상하지 못한 반사작용 때문에 낮에는 사용하지 않는다.

관절의 운동

· 골관절염의 경우 관절의 운동이 증가하면 파괴도 증가한다. 따라서 등척성 운동을 많이 한다. 등장성 운동은 하지 않는다. 예를 들면 무릎을 펴주고 꼬거나 굽히지 않는다.

The Leading 10 Drugs by Sales In U.S. 1996 And 1997

Rank in

1996	1997	Product	Product Type
2	1	Prilosec	Uicer medication
3	2	Prozac	Anti-depressant
6	3	Zocor	Cholesterol lowering agent
4	4	Epogen	Erythropoietin enhancer
5	5	Zoloft	Anti-depressant
1	6	Zantac	Anti-ulcer agent
15	7	Paxil	Anti-depressant
14	8	Norvasc	Anti-hypertensive
19	9	Claritin	Antihistamine
8	10	Vasotec	Anti-hypertensive

The Leading 10 Drugs in U.S. by Prescriptions Dispensed

Rank in

1996	1997	Product	Product Type
1	1	Premarin	Estrogen Replacement
3	2	Synthroid	Hypothroid Replacement
2	3	Trimox	Amoxicillin
4	4	Lanoxin	Digitalis (heart)
9	5	Hydrocodone W/APAP	Pain Med
7	6	Prozac	Anti-depressant
15	7	Albuterol	Bronchospasm(Asthma)
12	8	Prilosec	Ulcer Medication
6	9	Vasotec	Anti-hypertensive
13	10	Norvasc	Anti-hypertensive

Chapter 18

두경부와 측두하악관절 통증조절을 위한 물리치료요법

측두하악관절 통증치료에 사용되는 물리치료요법

다음에 요약한 내용은 두경부와 측두하악관절 통증과 기능장애조절을 위해 최근 물리치료전문가들이 사용하고 있는 물리치료 방법과 과정에 대한 설명이다.

온열요법의 물리적 효과

a. 중심부(core)온도 증가
b. 표층부 열감-피하부에 온도를 증가시키면 관절 내 온도가 증가된다.
c. 통증감소-피부의 열감지로부터 전달되는 임펄스를 동통수용기가 감지하는 것을 방해한다.
d. 근경련을 감소시킨다.

초음파의 물리적 효과

a. 소리에 의해서 발생하는 고주파의 기계적 진동 전기적 에너지를 기계적 에너지로 전환시킨다.
   (700,000에서 1,000,000 cycles/second).
b. 심부 열전달
c. 혈관 확장. Paul, 1955; Abramson, 1960
d. 조직대사 활성화. Paul, 1955
e. 이온음파삼투효과에 의한 투과성 증가
f. 신경전달 억제와 활성전위 감소. Lambert, 1951
g. 근경련 감소. Fountain, 1960
h. 결합조직 신장력을 증가시킨다(건, 반흔, 수축된 관절낭). Gersten, 1954, 1958
i. 활막액의 점성 감소

냉각요법의 물리적 효과

a. 동통 감소

b. 부종 감소

c. 염증 감소

d. 혈관 수축

e. 관절의 운동범위 증가

f. 근경련 감소

g. 열과 함께 사용하여 결합조직에 신장성을 증가시킨다.

h. 표면마취 효과

i. 활막액의 윤활작용 증가

j. 결합조직이 신장된 상태에서 냉각요법을 적용하면 증가된 길이를 유지시킬 수 있는 효과

주의

냉각요법을 오랜 시간 적용하면 근육의 신장을 억제할 수 있으나, 짧은 시간 동안 적용하면 근육의 신장효과가 있다.

전기영동 효과

a. 이온은 전하에 따라 이동하기 때문에 이온화된 수용액을 통해 전류의 흐름에 따라 이동한다.

b. Hexadrol(dexamethasone sodium phosphate) 양극(positive electrode)을 사용하여 염증을 감소시킨다.

c. 통증 감소 : xylocaine 4%

d. 전기 화학 효과

e. 근경련 감소

f. 주사와 같은 비침습적이고 위험이 적은 방법을 사용하므로, 주사 후 발생하는 동통이나 자극 등이 없다.

g. 환자의 공포감이 없다.

전기자극 치료

a. 대사의 흐름을 증가시킨다.

b. 반복적으로 근육의 등척성 운동을 촉진시킨다.

c. Substantia gelatinosia를 억제하여 관문조절 기전을 활성화시킨다.

d. 부종 감소

e. 엔돌핀 생산을 촉진시킨다.

f. 전기자극을 통해서 반사를 억제한다.

관절의 운동요법

a. 혈류의 흐름을 원활하게 해준다(A.T.Still, 1899).

b. 신경압박을 완화시킨다(Palmer, 1910).

c. 관절의 운동을 정상화시킨다(Minnell, 1960).

d. 관절을 정상적인 위치로 회복시킨다(Galen, 1958).

e. 관절면 사이의 윤활작용을 향상시킨다(Bennett, 1961).

f. 근육의 신장력을 증가시킨다(Chraisman, 1964).

g. 교감신경계의 자극을 완화시킨다(Krinest, 1965).

h. 관문을 활성화시켜서 근육의 동통을 감소시킨다.

i. 관절낭에 있는 type II mechanoreceptors를 활성화시켜 근경련을 이완반사시킨다(Wake, 1970).

j. 수축된 근육을 신장시켜 이완한다(Rood, 1974).

k. 엔돌핀 생성을 증가시킨다.

운동요법

A. 관절의 기능을 회복시켜 정상적인 안정위 때의 상태로 근육을 회복시켜 주는 방법

B. 저운동요법

1. 많은 반복

2. 천천히 운동

3. 저항을 최소화한다.

4. 최대 개구 범위를 안정화시키는 방법(신장력을 증가시켜 정상 개구 범위로 회복함)

C. 과운동요법

1. 많이 반복한다.

2. 천천히 운동한다.

3. 정상 개구 범위로 최소한의 저항으로 시작한다.

a. 저항을 증가시킨다.

b. 등척성 수축

개구 범위 내 운동

1. 80%의 저항으로 신장을 증가시킨다.

2. 최대 개구 범위 내에서 등척성 수축을 한다.

D. 특별 운동요법 - 저운동 - 운동화

1. 수축-이완 : 근육과 건

2. 유지-이완 : 길이 증가

3. 분사와 신장 : 감각을 둔화시킨다.

    1. 수동적 신장 : 인대와 관절낭

    2. Articulation : Increase length

        1. 수동적 신장으로 근막과 반흔의 길이를 증가시킨다.

E. 특별운동요법 - 저운동 - 안정화

  1. 긴 등척성 수축 : 근육과 건 길이를 감소시키고 신장시키기 위한 민감성을 증가시킴.

  2. Inner ROM

    1. 바늘로 자극. 길이를 감소시키기 위한 인대와 캡슐

    2. 가볍게 침.

Biofeedback

Biofeedback 자체로 직접적인 물리적인 효과는 없다. 그러나 Biofeedback을 사용하면, 환자는 앞에 언급했던 모든 치료에 대한 물리적 효과를 얻을 수 있다.

두경부와 측두하악관절 동통치료를 위한 물리치료요법

촉진

A. 실체감각-손바닥

B. 진동-손의 측면

C. 온도-손가락 끝

D. 너무 세게 누르면 안 된다.

진단

A. Cyriac- "연조직 병변의 진단은 간접적으로 진단해야 한다. 진단의 주요 방법으로 촉진을 생각하는 의사들은 별로 없다. 관절, 근육, 혹은 신경의 상태는 얼마나 기능을 잘 하느냐로 추정할 수 있다."

B. 수동적 운동

  1. Painful arch

    a. 개구 범위 중간 정도에서 나타나고, 이 지점을 지나가면 멈춘다.

    b. 부드러운 구조가 압축되어 통증이 나타난다는 증거이다.

  2. 최대 범위에서 통증을 느낀다(부드러운 구조가 신장되거나 압축됨).

3. 운동범위를 과도하게 큰 경우(인대가 늘어나서 발생한 과운동)
4. 뼈의 종말감각
    a. 스트레스를 받았을 때 탄성력이 없다.
    b. 골증식체(osteophyte) 형성
5. 운동 가능성이 없다(골강직 혹은 강한 근 경련)
6. 관절잡음이 느껴진다.
    a. 관절면이 닳아졌다는 의미
    b. 비교적 약하다(Fine) : 연골면이 약간 거칠어졌다.
    c. 거친 소리(coarse) : 심각한 파괴가 있다.
7. 정상적인 종말감각
    a. 부드러운 느낌 : 연조직이 근접한 경우
    b. 단단한 억제감 : 인대성 종말감각(ligamentous end-feel)

측두하악관절 – 폐구 시 과두걸림 현상

TYPE I

수동적으로 신장시켰을 때 딱딱한 종말감각은 관절원판 전방전위를 의미한다.

TYPE II

고무와 같은 종말감각. 과두, 관절원판, 측두골은 정상이나 관절주위 결합조직이 짧아진 것을 의미한다.

측두하악관절 기능장애 치료를 위한 물리치료 운동요법

운동요법은 어떤 자세에서도 할 수 있고, 10번 반복하며, 하루 6회 시행한다. 1분 이상은 지속하지 않는다. 이 운동요법은 기능이상의 증상이 있는 경우에만 시작한다. 너무 무리해서는 안 된다. 자주 시행하면 견디기 힘들어질 것이다. 아프면 하지 않는 것이 좋다.

1. 혀를 편안한 위치에 둔다 : 혀를 구개 전방부에 위치한다. "꼬꼬" 소리(cluck-like)를 낸다. 비호흡을 향상시켜 준다.
2. 측두하악관절 회전조절 : 혀를 구개에 댄다. 개폐운동 시 혀의 위치를 유지한다.
3. ISOM 하악의 개구, 폐구, 측방운동 시 수축
4. CERVICAL NOD : 손으로 목 주위를 감싼다.

5. AXIAL CERVICAL EXTENSION : 거울 앞에 앉아 눈은 정면을 바라보고, 손으로 상순에 갔다댄다. 머리를 후방으로 젖힌다.
6. THORACIC EXTENSION : 어깨를 가슴보다 후하방으로 젖힌다.

이 방법들이 물리치료 효과를 더욱 향상시켜 줄 것이다. 이 방법이 집에서 할 수 있는 운동 요법의 전부는 아니다.

물리치료법과 연관된 진단명

다음의 목록은 측두하악관절 환자의 물리치료요법을 시행했을 때 사용할 수 있는 진단명을 기술해 놓았다.

DIAGNOSIS DESCRIPTION CODE	ICE-9
CERVICAL SPRAIN/STRAIN*	847.0
FALCIAL PAIN	784.0
FIBROMYOSITIS*	729.1
HEADACHE	784.0
INTERNAL DERANGEMENT OF TM JOINT	524.6
JAW MENISCAL DISLOCATION	830.0
JAW MENISCAL DISLOCATION RECURRENT	524.6
JAW MENISCAL SPRAIN/STRAIN	848.1
MUSCLE SPASM	728.85
MYOSITIS*	728.85
SPASM OF MUSCLE	728.85
TEMPOROMANDIBULAR SPRAIN/STRAIN	848.1
TORTICOLLIS	723.5
WHIPLASH*	847.0

*Prime diagnoses

Chapter 19

측두하악관절경술과 관절경 수술-비외과의사들의 측면

관절경술과 관절경 수술은 정형외과 의사들에 의해 오랜 세월 동안 사용되어 왔고, 술식과 기구에 있어서 많은 발전을 거듭해 왔으며, 치의학 분야에까지 이용되기에 이르렀다. 1974년 일본의 Dr. Ohnishi에 의하여 1974년 무릎과 다른 관절에 이용되는 정형외과적 관절경술이 측두하악관절에 적용되었다. 그의 뒤를 이어 Murakami 등은 수술적 방법과 기구 적용에 있어 발전시켜 나갔다.

비록 초기에 많은 노력들이 시도되어 왔었지만, 미국에서의 선구자적인 노력은 캘리포니아 LA의 Dr. Bruce Sanders에 의해 이루어졌다. Sanders는 아주 능숙한 구강악안면외과 의사로, 일본에서 Murakami와 함께 연구를 한 뒤, 미국으로 돌아와 다른 사람들을 가르치고, 현재 우리들이 알고 있는 관절경 수술로 발전시켰다.

관절경술과 관절경 수술은 측두하악관절 수술의 역사상 아주 중요한 시기에 치의학 분야와 구강악안면외과 의사들에게 진단과 치료에 있어 새로운 대안을 마련해 주었다. 주변조직에서 이물 반응과 세포 변성을 일으키면서 몇몇 임플란트 재료들(proplast, proplast with teflon, silicone 등)이 사라져 가고 있는 것은 명백한 사실들이다.

현재의 고려사항

관절경술은 측두하악관절장애의 진단과 치료에 있어서 비외상적, 비침습적인 방법을 제공해 줄 것이다. 그렇지만 관절경술이 그 자체의 합병증이 없는 것은 아니다. 관절경 시술에서 7번 신경감각 이상은 거의 드문 일이지만, 개방 관절 시술에서는 흔한 합병증이다.

Sanders 등은 측두하악장애에 있어서 섬유성 유착과 유착된 부분들이 있음을 명확히 보여 주었다. 관절경술은 주로 더 크고, 더욱 접근성이 있는 상부 관절 구조에 사용되었고, 디스크의 끝(top)과 관절융기의 아랫부분 사이에 섬유성 유착이 존재하는 것을 보여 주었다. 이러한 유착은 디스크와 관절융기 사이의 정상적인 운동을 방해한다고 믿어지고 있다. 유착이 더 작은 하부 관절 구조에서도 발생할 수 있지만, 이곳은 관절경술을 시행하지 않는다. 그 이유는 상부구조의 치료만으로도 동통이 없는 정상적인 기능으로 회복될 수 있기 때문이다.

필자의 TMJ dissections(관전원판 절제술)의 경우에서는 높은 하부구조의 유착 유발률을 보여주었다. 그렇지만 하부 관절 구조의 유착은 오직 회전 운동 시에만 영향을 미치고, 활주 운동에는 영향을 주지 않기 때문에, 상부구조가 주요 관심의 대상이 되어 왔다. 더욱이 하부 관절 구조에 대한 접근은 많은 어려움과 실패율이 따르게 된다.

특히 관절경 시술에 의해 관절원판이 재위치되는 경우는 드물다는 것을 주의해야 한다. UCSD Medical Center의 Moses와 Sartoris는 시술된 90명 이상의 환자의 MRI 관찰을 통하여 일반적으로 관절원판의 재위치가 이루어지지 않는다는 것을 명확히 보여 주었다. 중요한 점은 비록 관절원판이 재위치되지 않았지만, 이 환자들은 편안한 상태를 유지하고, 정상적인 기능을 하고 있다는 것이다. 그렇지만, 관절경술과 측두하악관절에 있어서 관절경 수술의 효과에 대해서 더 연구할 점들이 많이 남아 있다.

관절경 수술의 임상적 적응증

관절경 수술은 물리치료와 splint 치료, 항염증 약물 처방 등의 모든 보존적 치료방법이 실패한 뒤에서야 비로소 시도되어야 한다. 중요한 점은 임상가는 장애의 원인을 이해하고, 관절원판을 재위치시키는데 과도한 시간을 낭비하지 말아야 한다는 것이다. 4~6주 정도면 관절원판이 재위치될 수 있는지의 여부를 결정하는 데 충분하다.

관절원판의 전방전위에서처럼 환자가 관절원판의 이탈된 상태가 오래 지속될수록, 후방 band의 변형과 함께 두꺼워진 후방 band가 압박을 받게 될 것이다. 이로 인하여 환자는 관절원판이 재위치되더라도, 적절한 과두-관절원판-관절결절 관계를 유지하는데 커다란 어려움을 경험할 것이다(Internal Derangements of the TMJ 참조).

관절천자술

관절천자술(Arthrocentesis)은 Murakami와 그 동료들이 고안한 방법으로 'pumping technique' 로 불렸다. 이 시술은 보통 진정 상태에서 시행하거나 혹은 정상적으로 깨어 있는 상태에서도 시행한다. 우선 하악을 가능한 최대한 distraction시킨 뒤, 작은 주사 바늘로 상관절부로 자입하고, 2~5cc의 lactated ringer액을 syringe의 pumping action으로 주사한다. 그 다음 주사 바늘을 제거하고, 신연과 운동을 시도한다. 종종 염증이 있는 경우에는 steroid를 투여하기도 한다. 아주 좋은 결과들이 Kaminishi 등에 의해서 보고 되었다.

물리치료사의 역할

Dennis Langton과 Thomas Eggleton과 같은 숙련된 물리치료사들은 전방으로 변위된 관절원판이 재위치될 수 있는 경우라면, 대부분의 경우에서 적절한 물리치료에 의해 재위치될 수 있다는 것을 보여주었다. 단, 그것은 급성 변위인 경우에서이다.

많은 지식이 있으며, 잘 훈련된 물리치료사가 관절원판의 위치를 재위치시킬 수 없다면, 어떠한 종류의 acrylic splint라도 거의 재위치시킬 수 없을 것이다. Splint는 교합을 안정시키고, muscle proprioception에 영향을 미쳐, 관절과 근육에 가해지는 부하를 감소시켜 줄 것이다. 동통은 감소되지만, 관절원판은 여전히 변위된 상태 그대로일 것이다.

중요한 사실은 '측두하악관절과 경부 장애에 관하여 훈련받은 숙련된 물리치료사' 라는 것이다. 치과의사가 반드시 기억해야 할 점은 모든 물리치료사가 이 분야에 대해 훈련받지는 않는다는 것이다.

적극적인 splint치료, 물리치료, NSAIDs가 실패한 후에야 비로소 수술이 추천된다.

관절경 수술에 대한 6가지 기본적인 적응증

1. 전방 디스크 전이(통증을 수반, 복원되지 않음)
2. 전방 디스크 전이(변형된 디스크, 통증 그리고 복원됨)
3. 전방 디스크 전이(허악 이상기능을 가진 젊은 환자. 통증 수반. 복원됨)
4. 상·하부 관절부의 섬유성 유착
5. 정상 하악기능(통증을 수반한 디스크의 구멍을 가짐. 골관절염증성 변화를 수반하거나 수반하지 않음)
6. 방사선 사진상에 이물질이 보이는 경우(술 전 평가. 이물질 제거에 면도기를 사용할 수 있다.)

* 물리치료 운동을 교육시키고, 관절경 수술 전과 후에 반복하게 한다.

관절경 수술의 술식

1. 전신마취를 시행한다.
2. 술부의 방포술은 개방관절시술과 동일하다.
3. 관절와 내의 과두의 downward distraction
4. 관절낭 측벽을 통해 상부관절부 내로 뾰족하고, 날카로운 투관침을 삽입한다.
5. 날카로운 내부 투관침을 제거하고, 관절경(arthroscope)을 대신 삽입한다.
6. 관절경으로 상부관절부를 평가한다.
7. 상부관절부에 saline이나 lactated ringer액을 주입한다.
8. 2번째 trochar를 전방부에서부터 상부관절부로 위치시키고, 날카로운 trochar를 뭉뚝한 probe로 교체하여, debridement하거나 유착을 분리시키기 위해 휘저어 준다.

9. 유착이 분리되면, 하악은 하악 치아 교합면에 엄지손가락으로 약한 힘을 주어도 떨어져 개구될 것이다.

10. 하악이 개구되고, 회전, 활주, 전방, 측방 운동이 되게 된다.

11. 관절은 차가운 lactated ringer액으로 세척한다.

12. Heparin을 섞은 steroid액은 사용할 수도, 안 할 수도 있다.

13. 방포를 제거하고, distraction type 'C' splint를 7~14일 동안 관절의 초기 부종을 보상하기 위하여 장착한다(환자가 편안해지면, splint를 'A' type appliance로 조정해 주고, 나중에는 nightguard로 사용함).

14. 관절경 시술 후에는 압박을 가하여 bandage를 해 준다.

15. 물리치료를 시작하고, '술 후 운동'을 시술 후 24시간 동안 시행한다.

16. 관절경 수술 후 구강외과의사와의 약속; 물리치료사, splint 조정을 위해 치료를 치과의사와 약속

고찰

관절경 수술은 임상가와 구강악안면외과 의사에게 치료의 한 대안을 제공해 주며, 섬유성 유착에 의한 관절원판의 전방변위의 장애와 다른 관절원판 장애에 특히 유용하다고 증명되었다.

이 시술은 근본적인 진단 평가를 대체해서는 안 될 뿐 아니라, splint치료나 물리치료와 같은 보전적인 치료 없이 시행되어서는 안 된다.

임상가들에게 가장 강조하고 싶은 부분은 지난해에 필자의 TMJ clinic에서 600명이 넘는 환자 중에서 수술을 위해 의뢰한 환자는 단 12명뿐이라는 것이다(8/16/94).

Chapter 20

임플란트 치과의사를 위한 해부학

과학적으로 발전된 이 시대에 살고 있다는 것은 큰 축복이다. 연구자들이 계속하여 새로운 분야를 개척하고 있지만, 임상 치의학에 종사하는 치과의사들은 선배들의 노력 덕분에 열매를 얻고 있다. Implant라는 분야는 필자가 "치의학의 새로운 것은 무엇인가?"라는 질문을 받는다면, 대답할 수 있는 가장 최고의 답이다.

'현대의 치과 임플란트'의 개념(blade type은 제외)은 스웨덴의 P.I. Branemark 교수와 그 동료들에 의해 개발되고 시험되었다. 치과 임플란트는 거의 단숨에 전 세계의 수복학과 보철학의 형세를 바꾸었다. 치과 임플란트의 사용으로 임상 치과의사와 환자들에게 10년 전에는 불가능했던 다양한 치료에 대한 선택의 폭을 넓혀 주었다.

초기의 스웨덴에서 Dr. Branemark과 그 동료들의 성공에도 불구하고, 미국에서 발행된 임플란트 성공에 대한 결과들은 많은 생각의 여지를 남겨 준다. Branemark, Albrecktsson 등은 하악 전치부에서의 성공률이 98~99%, 상악전치부에서는 93~94%에 이른다고 보고하였다. 최근에 미국에서 보고된 결과에 따르면, 과거의 결과보다 10~20% 낮게 나타났다. 결과가 더 낮은 이유는 무엇일까? 가장 많이 지적된 4가지 이유는 다음과 같다.

1. 부적절한 환자 선택
2. 부적절한 수술 부위 선택
3. 부적절한 implant 및 고정체 선택
4. 부적적하거나 불량 보철물의 시적

필자는 부적절한 implant의 선택은 실패율의 단지 적은 부분이라고 생각한다. 부적절한 환자의 선택이 분명한 이유이다. 특히, 심한 이악물기와 이갈이를 하는 무치악 환자에게 implant가 식립된 경우일 것이다.

이번 장에서는 왜 부적절한 시술 부위 선택 때문에 implant가 실패하는지에 대하여 초점을 맞추었다. 골의 질, 밀도, 혈핵 공급, 그리고, 별도의 다른 수술 방법 선택 등도 논의될 것이다.

Fresh Cadaver Dissections

방법

이번 장에서는 2년간 36개의 상·하악골을(18개의 상악골, 18개의 하악골) 가지고 연구한 논문을 요약하였다. 상·하악골은 48시간 이내인 신선한(formalin에 고정되지 않은) cadaver 표본들에서 채취하였다. 상악골은 안와의 하방에서 상악동이 온전한 상태로 유지하게 하여 절단하였다. 하악골은 측두하악관절을 절단하여 획득하였다.

상·하악골은 linear tomography, hypocycloidal tomography와 CT로 촬영하였다. 3차원적 골 모형(bone model)은 단순히 비교를 위하여 상악골 2개의 절편만을 TechMedica로 제작하였다. 각각의 표본들은 촬영된 상의 비율로 치조제를 절단하였고, 실제로 절단된 크기와 촬영된 상의 크기를 재현된 상의 정확성을 측정하기 위해 비교하였다. 상·하악골의 해부학적 형태, 신경과 혈액 공급도 역시 관찰하였다.

다음은 필자의 관찰 결과에 대한 요약이다.

1. CT는 3가지 촬영된 상 중에서 단연 최고였다. 촬영한 상을 다른 평면(coronal-sagittal-axial)에서 재배열하고 관찰할 수 있게 해주는 CT의 능력은 차별화된 장점이었다. 3차원 모델을 제작할 수 있는 능력 또한 장점이다.
2. Acrylic으로 제작한 3차원 모델은 보통 실제의 골절편보다 두껍게 만들어졌다(최소 1~1.5㎜ 두껍게).
3. Linear와 complex motion tomography(hypocycloidal)는 상·하악골의 전방 부위에 대하여 좋은 상을 제공하였다. Implant-Tome(Denar)으로 4개의 추가 상·하악골을 촬영하였고, 역시 좋은 상을 제공하였다.
4. 상악 견치 후방으로 상당수의 상악골에서 치조골 증대술이 필요할 정도로 얇은 상태였다.
5. 소구치와 대구치 부위의 협측 피질골판은 계란껍질 같이 얇아서 상악동 거상술을 시행하여 비디오 촬영을 하였다(tenting procedures).

상악골

상악골은 순설로 얇은 피질골판으로 구성되어 있다. 필자는 최상의 결과를 위해서 implant를 협설 양쪽 피질골판에 밀착시키고, 가능한 긴 임플란트를 식립할 것을 추천한다.

하악골

1. 하악골의 부하를 받는 부위는 해면골로 구성된 치조정을 제외한 단단하고 치밀한 골로 구성되어 있다.
2. 이공과 이공 사이의 전방부는 임프란트의 지지를 위한 가장 좋은 골로 되어 있다.
3. 구치부의 골의 내부 기질은 벌집 형태를 닮았다. 이러한 Honeycombed ridge의 95%는 내부도 역시 균일하고 치밀하다.
4. 후방의 hamular notch/pterygoid plate region은 피질골이 존재하여 임프란트에 좋은 지지를 제공한다.
5. 모든 상악 돌기부는 보존해야 하고, 후방연장 보철물인 경우 중앙에 있는 임프란트의 cantilever 효과를 감소하는데 이용해야 한다.
6. 2대구치 부위에서는 greater palatine artery, nerve, 그리고 vein이 존재하기 때문에 설측으로 임프란트를 식립하는 것을 피해야 한다.

S.O.A.P NARRATIVE REPORT

다음의 자료는 AETNA 생명 보험 회사의 지침에서 얻은 것이다.
: "THE PROBLEM ORIENTED HEALTH-CARE AND S.O.A.P METHOD OF NARRATIVE DOCUMENTATION"

1. 현재의 건강관리 기록은 행해진 처치에 대한 정돈된 사고 과정을 제공하기 위해 적절한 치료 보고를 할 수 있는 S.O.A.P로 하고 있다. 자료의 구조는 치료의 질을 결정하고, 엉뚱한 처치를 막아준다. 약성어인 S.O.A.P는 4개의 기록용 단어의 첫 번째 문자로 다음과 같다.

(S) **Subjective data(story) :** 환자의 병력, 전신적 상태, 병의 상태(chief complaints/ history of present illness), 그리고 그 병에 적합한 증상들에 대한 양적, 질적 기술들을 우선 기록한다.

(O) **Objective data(observations) :** 여기에는 이학적 검사 결과, 방사선학적 검사 결과, 행동의 범주에서 임상적 관찰을 통한 정신과학적 검사결과 등이 여기에 속한다.

Subjective와 objective data는 적절하게 assessment를 구성하기 위해서 명확하고, 철저해야 한다.

(A) Assessment(analysis) : 여기에서는 병의 심한 정도, 진단, 병인, 해부학적 변화, 생리학적, 기능적 결함, 환자의 다른 변화 등이 예후와 함께 논의된다. 정기적으로 기록하고 평가가 필요한 부분은 Flow sheet에 기록하는 것이 추천된다(예, 혈압 기록).

(P) Plan(treatment) : 치료계획은 최대한 구체적이고, 상세해야 한다. 치료술식은 명백한 적응증이어야 한다. 추가적인 자료가 요구되고, 자료를 수집하기 위한 구체적인 계획이 상세히 기술되어야 한다. 치료의 끝과 목표에 대한 윤곽을 잡는 것이 매우 중요하다.

2. 앞서 본 바와 같이 S.O.A.P 형식은 적절하게 만들고 구성된 진단과 치료계획에 대한 중요한 요소들을 제공해 준다.

3. 필자는 여기에 추가로 'prognosis'의 'P'를 추가해 왔다. 예후는 good, fair, guarded, 또는 poor로 나타낼 수 있다. 예시용 narrative report를 보도록 하자.

SAMPLE NARRATIVE REPORT

Using SOAP(P*)

SUBJECTIVE

Jane Jones는 25세 백인 여성으로, 최근 양쪽 관자놀이 부위 통증을 주소로 필자의 진료실에 내원했다. 검사와 병력 조사에 의해 두통, 턱 통증, 관절잡음(clicking sound), 하악운동 제한이 있는 것을 알아냈습니다.

Jane의 증상은 1994년 갑자기 시작되었고, 계속 지속되었다. 이 증상은 다른 특별한 사고와는 연관이 없었다. 더욱이, Jane은 과도한 교합면 마모와 함께 이악물기와 이갈이의 증거가 보였다.

OBJECTIVE

Jane의 측두하악관절의 청진을 통하여 관절원판이 변위되었다는 것과, 안면 근육에 심한 근육통이 있다는 것을 알아냈다. 경부의 긴장은 근육의 통증과 운동 범위의 제한과 함께 역시 명확하였다.

· **청진기로 양쪽 측두 하악 관절을 청진한 결과** 좌측에서 개구와 폐구 시, 그리고 반대 쪽으로 운동 시에, 하악을 전방으로 운동할 때 왕복관절음이 확인되었다. 오른쪽에서는 관절 잡음이 없었다.

· **근육 촉진을 통하여** 압통이 있다는 것과, 양쪽으로 폐구근 촉진 시 동통을 느낀다는 것을 알았다.

- **관절 하중(Jawing Loading)** : 좌우측 측두하악관절에서 관절하중에는 반응하지 않았다(No discomfort).
- **개구와 폐구** : 그녀는 개구 시에 5㎜ 좌측으로 뚜렷한 편향(deflection)을 보였고, 개구 25㎜ 부위에서 왼쪽 TMJ에서 거대관절잡음이 있었고, 하악골이 정중선으로 돌아왔다. 치아가 접촉되기 4 ㎜ 전까지는 편향됨 없이 폐구하였고, 그 때 다시 거대관절잡음이 좌측 TMJ에서 들렸다.
- **경부 평가(cervical evaluation)** : 경부 운동 제한과 함께 목과 어깨의 통증이 관찰되었다.

ASSESSMENT

Jane의 상태에 대한 진단과 관련된 보험 코드는 다음과 같다.

- 524.6　Temporomandibular dysfunction
- 718.98　Displacement of Articular Disc
- 847.0　Cervical Strain/Sprain
- 784.0　Headache
- 306.8　Bruxism

PLAN

1. NSAIDs - 음식물 섭취와 함께 14~21일간 1일 3회 Motrin 600㎎ 처방.
2. Orthodontic Appliance : 경질 아크릴릭 레진으로 모든 치아가 접촉되게 제작하고, anterior guidance를 부여한다. 3~4주 동안 밤낮으로 장착하게 한 후, 밤에만 장착하도록 한다. 환자는 처음 6개월 동안은 60일마다 재평가를 한다.
3. 물리치료 : 4주 동안까지는 일주일에 두 번 수조작법, 열치료법을 시행하고, 필요하면 집에서 할 수 있는 운동을 교육시킨다. 관절의 통증이 아주 심한 경우에는 dexamethasone, 또는 solumedrol과 xylocaine과 함께 iontophoresis를 3번 추천한다.
4. 스트레스 조절 : (Biofeedback) 환자가 스트레스의 원인을 밝힐 수 있도록 도와주고, 더 나은 스트레스 극복방안을 찾아보도록 한다.

* P(PROGNOSIS) : Good, Fair, Guarded, Poor

FAIR TO GOOD 환자가 위의 사항을 지키는 경우이다. 만약 환자가 물리치료, biofeedback, 또는 약물 치료를 잘 따라 주지 않는다면 예후는 POOR이다.

Chapter 21

List of frequency used ICD-9-CM codes and procedure (CPT) codes

ICD-classifications
International classification of diseases

Adhesions, joint	718.0
Atypical face pain	350.2
Ankylosis	718.5
Arthralgia	719.0
Bruxism	306.8
Capsulitis	727.0
Cervical strain / Sprain	847.0
Closed dislocation	830.0
Degenerative Arthritis	715.9
Derangement of the TMJ	514.6
Dental arch anomaly	524.2
Displacement of articular disc	718.98
Dizziness	729.2
Dysfunction of the eustachian tube	381.81
Dyskinesia	333.7
Headache, facial pain	784.0
Hypermobility syndrome	728.5
Internal joint derangement	718.0
Malocclusion, unspecified	524.4
Myalgia and myositis, unspecified	729.1
Occlusal Wear	521.1
Open dislocation	830.1
Orofacial dyskinesia	333.82
Pain in joint	719.4
Spasm of muscle	728.85
Temporomandibular dysfunction	524.6
Tinnitus	388.30
Trigeminal neuralgia	350.1
Whiplash	847.0

CPT -(Procedures codes)

New patient office exam	99205
Estab Pt. office exam (15 min)	99213
Estab Pt. office exam (25 min)	99214
Estab Pt. office exam (40 min)	99215
Functional analysis	99199
Orthotic appliance	99070
Fitting and adjusting appliance	99022
For blue cross, use	99002
Appliance adjustment/Repair	97700A
Occlusal guard	09940
Telephone consultation, re : medial reports, lab test results	
Brief	99371
Intermediate	99372
Lengthy or complex	99373
Narrative report	99080
Radiographic examination, TMJ	
Bilateral	70330
Radiographic examination, TMJ	
Unilateral	70328
Magnetic resonance imaging	70336
Consultation, Re : x-rays taken elsewhere	76140

참고문헌

1. CPT-Physician' Current Procedural Terminology
   To order: Call 1-800-999-4600
2. ICD-9 CM International Classifications of Disease, Vol. 1&2
   To order: Call 1-800-999-4600
3. Insurance Codes for Craniomandibular Disorders and Facial Pain. Prepared for the Center for Temporomandibular Joint Disorders and Orofacial Pain. University of Medicine and Dentistry of New Jersey. Gary M. Heir, DMD; UMD MJ, Dental School, 110 Bergen Street, Newark, NJ 07130.

Chapter 22

마모된 치열의 처치법
(Management of the Worn Dentition)

치의학에서 치아의 마모만큼 많은 흥미와 논쟁을 유발하는 분야도 없을 것이다. 과거의 연구는 사람들의 음식 습관에 더 관심을 가졌지만, 현대인들은 치아 마모에 대해서 노화라는 측면에서 심미적 · 사회적인 충격에 더 비중을 두는 것 같다. 도재, 컴퍼짓, 폴리머(polymer) 기술의 진보에 힘입어, 치아 색조의 수복재료 제조업은 10억 달러 규모의 산업으로 발전하였다. 이러한 새로운 재료들은 '심미의 시대' 또는 '심미 치과학'이라는 말들을 만들어 내었다.

그렇지만 이러한 대부분의 재료들은 판매되기 전에 부적절한 시험을 거쳤고, 수복 치료 시에 실패하는 경우가 흔하게 발생했다. Clinical Research Associates의 임상가들에 의한 연구에 의하면 46개의 치아 색조의 재료로 수복된 치아 중에 17개 치아만이 3년 후에도 안정적이었다고 한다. 또한 이 연구에 의하면 흔히 사용되고 있는 일부 세라믹 재료들은 2년 안에 23%의 파절을 보였고, 3년에는 33%의 파절율을 보였다. 일부에서는 실패로 인해서 그 재료의 결함을 알 수 있어 유익하다고 보는 시각도 있는 반면, 필자는 높은 실패율은 다음의 3가지 중요한 이유들 때문이라고 믿는다 : 1) 치아 마모 원인에 대한 부적절한 진단, 2) 구강 악습관의 존재, 3) 수복 재료의 부적절한 선택.

치아 마모의 원인을 이해하기 위해서는, 반드시 하악골 기능의 신경 생리학에 대한 기본적인 이해가 있어야 한다.

이번 장의 목적은 하악골의 기능 운동과, 이러한 운동이 치아의 마모와 어떻게 연관되어 있는가에 대한 최신 정보를 제공하는 것이다. 필자는 이것을 매우 중요하게 생각한다. 왜냐하면 1962년 보철과 gnathology 교육시기에 배운 것들은 이제 더 이상 타당하지 않기 때문이다. 그 당시의 연구자들은 '교합(occlusioin)'을 가장 중요하게 생각했는데, 당시에는 유용한 개념이었으나 새로운 기술, 더 정교한 측정기구, 관련된 해부학에 대한 더 깊은 이해들은 예전에 배운 지식 중 일부를 재검토하게 하였다. Mchorris는 "취약한 생각들에 대한 굽힐 줄 모르는 신념은 그것들을 강하게 만들 수 없다"고 하였다. 필자는 바로 지금이 과학에서 독단적인 사고를 배제하고, 수복 치과의사에게 정확한 답과 임상적 선택의 폭을 제공해야 할 때라고 생각한다.

이번 장에서는 중등도에서 심하게 마모된 환자의 진단모형과 그 처치 방법들을 제공할 것이다. 다음 장에서는 'two step occlusioin'이라는 교합 상태에 대한 설명에 덧붙여 'rule of thirds'라 부르는 유용한 공식을 제공할 것이다.

여러 가지 관련된 질문들에 대하여 역시 고려해 볼 것이다. 첫 번째로 치아 마모의 원인은 무엇인가? 기능적 저작운동 시에 치아들은 실제적으로 접촉하는가? 정상적인 기능상태에서 그리고 비기능적인 상태에서 지지되는 치아나 보철물에 어느 정도의 힘이 전달되는가? 각각의 다른 형태의 교합은 교합의 비기능적 운동(parafunction)의해 어떻게 영향을 받고, 환자에게 구강 악습관이 존재할 경우, 수복 치과의사의 재료 선택에 있어서 어떠한 영향을 주는가?

치아 마모의 원인

치아 마모에 대한 문제를 어떻게 진단하는지를 이해하기 위해서는 우선 치아 마모의 원인에 대하여 이해해야 한다.

치아 마모는 다음의 4가지의 기본 원인들에 의하여 발생된다.

1. Erosion
2. Abrasion
3. Abfractioin
4. Attrition

Erosion

Erosion은 박테리아의 작용과 관련이 없는 화학작용에 의하여 치아 구성물을 상실한 경우이다.[2] 산의 가장 흔한 출처는 레몬, 오렌지, 자몽 등과 같은 산성 음식들이다. 다른 흔한 출처의 하나는 역류로, 즉 식도의 역류에 의한 높은 농도의 구강 내의 산이다. 식도의 역류는 대개 성인에서 나타나고, 위의 괄약근이 정상적으로 기능하지 않거나, 적절히 폐쇄되지 않은 경우에 나타난다.

역류된 위산은 구강으로 역류해 올라오고, 높은 농도의 산으로 치아와 구강조직을 침습한다. 종종 젊은 여성들이 다이어트 때문에 고의적으로 식사를 한 후에 토하기도 한다.[4] Erosion은 2번째로 중요한 치아 마모의 원인으로 생각되는데, 그 이유는 여러 음식으로부터의 높은 농도이거나, 오래 지속되는 산에 의하여 치아 표면이 용해되고, 이로 인하여 다른 요인들에 취약해지기 때문이다.[5,6,7]

Abrasion

Abrasion은 저작이 아닌 다른 원인들에 의하여 치아의 구성물이 마모되는 것이다.[8] 치아 표면의 abrasion은 칫솔질과 같은 단순한 과정에 의해서 발생할 수 있고, 치아가 이전에 높은 농도의 구강 산에 의하여 노출된 경우에 특히 더 그러하다.

또 다른 원인으로, 치아의 법랑질보다 더 단단한 물체와 치아 표면이 지속적으로 접촉한 경우에 abrasion이 나타날 수 있는데, 예를 들면, 부분 틀니의 clasp가 치아 표면을 문지르게 되는 경우이다.

Abrasion은 치아의 모든 표면에서 발생할 수 있지만, 가장 흔하게 관찰되는 부위는 치경부로 넓은 접시 모양으로 패어 있고, 종종 횡 띠 형태를 나타내며, 환자는 이곳을 칫솔로 세게 문질러 닦아 오고 있다. Abrasion은 깊고 안쪽으로 날카로운 각을 형성하여 'V' 형태를 보이는 치경부 'abfractions'와 구별되어야 한다.

Abfraction

Abfraction은 생역학적으로 가해지는 힘에 의하여 단단한 치아 구성물이 병적으로 상실되는 것이다. 이러한 부위는 이환된 치아의 치경부에서 나타난다. 이러한 상실의 원인은 휨과 힘이 가해진 실제의 부분이 아닌, 어느 특정 부위의 법랑질 또는 상아질의 ultimate fatigue라고 생각된다.[9,10] Abfraction이 일반적으로 인정되는 용어지만, 내부에 날카로운 각을 보이는 치경부의 손상이 모두 치아의 휨과 법랑질이나 상아질의 피로가 원인은 아니다.

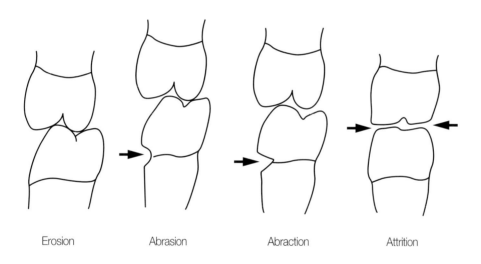

| Erosion | Abrasion | Abraction | Attrition |

그림 22-1

필자는 수 년 간, 대합되는 악궁과 명확하게 접촉이 없는 치아들이 왜 abfraction과 같은 부위가 발생하는지를 알아내기 위하여 치과 환자들과 cadaver 표본들의 치열을 관찰해 왔다. 환자들에게 고무, 연필, 지우개 등을 무는 습관이 있는지, 혹은 비정상적인 혀 습관이 있는지를 물어보지만, 치경부의 이러한 현상과는 아무런 관련이 없는 것 같다. 더욱이 하악 절치의 경우, 절단면에 마모가 관찰되지 않는 경우 왜 치경부 abfraction은 순측에는 발생하지 않고, 설측에 발생할까?

Attrition

Attrition은 마찰에 의하여 마모되는 과정으로, 치아의 접촉되는 면에 제한되어 나타나는 저작에 의한 정상적인 기계적 마모이다.[11] Attrition은 치아 대 치아의 접촉 결과로써 치아의 표면이 마모되는 것이다.[12,13,14] Attrition은 기능적 또는 비기능적 운동 시에 자연치가 도재 표면에 접촉했을 때, 또는 법랑질보다 더 단단한 표면에 접촉했을 때 발생한다.

필자는 attrition에 의한 과도한 교합면 마모가 관찰될 때, 수복 치과의사들은 다음 질문들에 대하여 고려해야 한다고 생각한다.

치아들은 기능적 저작 운동 시에 접촉하는가?

오랜 동안, 치과의사들은 씹는 동안 치아 사이에 음식물이 개재되기 때문에 치아가 접촉하지 않는다고 생각해 왔다. 그렇지만, 이후의 연구에서 치아가 씹는 동안 그리고 연하하는 동안 접촉하는 것이 일반적이라는 것이 밝혀졌다. 큰 덩어리의 음식이 더욱더 잘게 마모되면서, 치아들은 하악골이 폐구할 때 마다 실질적으로 접촉하게 된다. 치아의 활주 접촉은 하악골이 폐구할 때 일어나며, 하악골이 개구하면서 새로운 씹는 운동이 시작된다(그림 2).

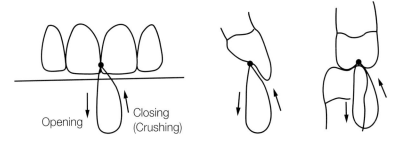

그림 22-2

이러한 치아 접촉들은 fossa(와)의 바닥에서 관찰되고, 나이가 증가함에 따라서 운동의 크기가 커지게 된다. 이러한 치아 접촉들에 대한 연구는 1970년대, 1980년대 Zander, Lundeen, 그리고,Gibbs 등에 의해 이루어졌고, 최근에는 Zurich의 Palla에 의해서 이루어지고 있다.[19,20,21,22]

지금 시점에서 명백한 것은 일정 부분의 치아 마모가 정상적인 기능의 결과로서 발생한다는 것이다. 이러한 연구들과 다른 많은 이들의 연구에도 불구하고, Stuart(gnathologist 학파)는 치아 마모는 centric relation(중심위)과 centric occlusion(중심교합) 사이에 deflective centric contacts(편향된 중심위 접촉)이 존재할 때만 발생한다고 주장하였다. 이러한 형태의 마모가 gnathology식 수복 후에도

centric relation position에서 나타났을 때에도, Stuart는 remount 술식이 centric relation position은 변하지 않으므로 적절히 시행되지 않았을 것이라고 주장하였다.[23,24]

 필자가 측두하악관절의 절제술(dissections)에 대하여 Stuart, Stallard, Thomas에게 언급했었다. Stallard와 Thomas는 재형성이 중심위(centric relation position)에 작은(minor) 변화를 초래할 것이라고 인정하였다. 그러나 Stuart는 인정하지 않았다. Celenza는 1965년 centric relation point는 변화하고 있다고 주장하였고, 이것은 거의 측두하악관절 구조물의 재형성에 기인한다고 주장하였다. Stuart는 중심위는 결코 변하지 않는다는 데에 확고하여 환자의 접번축점과 안면의 3rd reference point를 이용해야 한다고 계속 주장하였다. 필자는 여전히 1965년 Stuart에 의해 만들어진 tattoo marks를 지지한다. 그 점(marks)들은 현재 필자의 생각을 개방적으로 해주고, 다른 사람들의 의견에 귀를 기울이게 하고, 끊임없이 "왜?"라는 질문을 던지게 해주는 조언자이다.

 필자는 2가지 중요한 인자를 이해해야 한다고 생각한다 : 첫째 중심위(centric relation position)는 일정 범위 내에서 한 지점(point)이고, 만약 측두하악관절의 재형성에 의해 변하더라도, 그 위에 평형을 맞추기 위하여 조작은 거의 필요하지 않다. 그리고 두 번째로, "중심위에서 중심교합으로 이행되는 과정에서의 교합 불일치는 결코 환자가 가진 교합 자체의 불일치(ex. 구강 악습관)보다 중요하지 않다는 것이다."

 필자는 지난 25년 동안 몇 가지 수술 분야와 치과 분야 모임의 설립자 및 회원으로 활동을 해오고 있다. 이러한 모임들의 주요 목적은 구개와 구순열을 가지고 있는 소아, 청소년, 성인을 조사하고, 치료해 주는 데 있다. 이러한 기형들은 첫 번째와 두 번째 아가미궁(first and second branchial arch)이 모두 연관되며, 이러한 환자들 중 15~25%는 기형적인 과두(condyle)를 가지고 있거나, 약간의 하악골 비대칭을 동반하면서 적어도 한 개의 과두 무형성(agenesis)을 보인다. 대부분의 부정교합은 구치부의 반대교합의 형태를 띠고 있다. 이들 중 15~20%는 anterior open bite(apertognathia)를 가지고 있다. 흥미로운 점은 이러한 환자들 중 누구도 측두하악관절의 증상이나 징후 혹은 근육통을 나타내는 사람이 없다는 것이다. 이러한 환자들 중에서 교합의 비기능(마모면)의 증거를 가지고 있는 경우는 3% 미만이다. 필자는 자연(biologic system)이 이러한 사람들에게 여러 가지 형태의 보호 반사들(protective reflexes)을 부여해 준 것이라고 느낀다.

폐구하는 동안 그리고 저작하는 동안 치아가 접촉되는 부위를 어떻게 조절할 것인가?

 저작은 치아가 맹출함에 따라서 유아 때부터 성인에 이르기까지 후천적 학습에 의해 배우고, 터득하는 과정이다. 안면과 악골이 발달됨에 따라 더욱 복잡한 악골운동이 가능해지고, 다른 질감과 크기의 음식물을 씹을 수 있게 된다. 발달되는 trigeminal reflexes는 somatic motor system의 일부로, 매우 민감하여 치아 사이의 8μm의 두께도 인지할 수 있다. 그렇지만 주목해야 할 부분은 인간의 신체 감각에서도 체계가 있고, trigeminal과 spinal reflexes는 '반응 체계(response system)'[25]에서 가장 낮은 요소로 간주된다. Klineberg와 Okeson은 central pattern generator는 alpha 운동신경에게 전반적인 모든 하악운동을 할 준비를 하라고 율동적인 신호를 보내는 점에 주목했다. 그리고 이것은 기능하는 동안 발생된 다양한 말단의 mechanoreceptor에 의하여 조절된다(ex. 치주인대, articular type IV mechanoreceptors, 그리고 골막, 점막, 피부뿐만 아니라 근육의 수용기). 더욱이 씹는 운동들은 시각, 청각, 후각의 특수한 감각으로부터 유입과 결합하여 의식적으로 시작되고, central pattern generator와 관련된 말단 반사의 영향을 통하여 유지된다.[26,27] 임상 치과의사들에게 정말 중요한 부분은 치아는 치아가 서로를 맞대며 개구와 폐구를 하듯이 정교한 근육-관절의 협조를 요구하는 골격운동 기능에 대하여 'home base'를 제공해 준다는 것이다. 그렇지만 이러한 시스템도 이상기능(parafunction) 시에는 하악운동을 명확히 제어하지 못한다.

이상기능(parafunction)

이상기능(parafunction)은 말단보다는 중앙 요소에 의하여 조절되는 것으로 보이는 하악운동의 한 형태이고, 그러므로 이전에 언급했던 peripheral systems에 의해서 조절되지 않는다. 특히 nocturnal parafunction(야간 이상기능)이 그러하다. 이상기능적 하악운동은 씹기, 삼키기, 또는 말하기와 관련이 없다. 치아 접촉의 이상기능의 예로 이악물기, 이갈이, 치아 태핑 또는 어떤 물체를 꽉 물기(biting) 등이다.

Clenching

Clenching은 최대 교두 감압위(ICP)에서 치아에 가해지는 수직력(vertical force)과 관련된다. 기해지는 힘은 원칙적으로 교근의 천층과 심층, 내측익돌근과 측두근에 의해서 주어진 수직력이다. 이 악물기 시에 가해지는 결과적인 벡터는 상악에 대하여 하악의 전상방으로 가해진 힘이다. 임상적으로 심하게 이악물기를 하는 환자들은 우선 교근에 동통을 느끼게 될 것이다. 교근에 있는 근섬유의 형태는 짧은 동안의 힘에는 적합하지만, 이악물기에서처럼 지속적인 힘이 가해지는 운동에는 적합하지 않다. ICP에서 이악물기를 하는 환자는 교근 천층의 전상방 부착 부위에서 zygomatic arch의 하연에 이르는 부위에서 동통을 느끼게 된다.

Wilkenson과 Gibbs의 연구에 의하면, 편심위(eccentric position)에서 명확히 교근은 폐구하지 않는 것 같다고 하였다. 이러한 문헌을 보면 환자가 측방으로 폐구할 때 교근의 활성은 최소의 상태를 나타낸다. 그러나 4개 이상의 치아 접촉이 발생하면 근활성은 빠르게 증가한다. 교근의 과도하고 지속적인 수축은 고통스러운 trigger point(발통점) 또는 tender point(압통점)가 생길 수 있다.[28] 이러한 근막 발통점은 통증을 하악의 대구치와 소구치로 전이시켜, 환자가 통증의 원인이 치아인 것으로 인식하기도 한다.[20] 그 치통은 환자가 어느 한 치아를 지적할 수 없고, 경계가 명확하지 않으며, 여러 치아가 아프다고 기술한다. 가장 간단한 감별진단 방법은 vapocoolant spray(ethyl chloride)를 교근섬유에 사용하는 것이다. 만약 통증의 원인이 교근이라면, 치통은 감소하거나, 완벽하게 없어질 것이다(그림 3).

치아 간 접촉이 긴밀한 것도 환자가 중심위에서 이악물기를 한다는 또 다른 징후이다. 문헌에 의하면 일생 동안 한 악궁의 연결된 치간 접촉들은 적어도 하악 소구치 직경 정도를 마모시킨다고 한다. 치아 사이의 힘이 하악치열의 mid-line(정중앙)쪽으로 계속되고, 이것이 하악 전치부 총생의 한 원인이 된다고 한다. 문헌에 따르면, 하악 견치 후방에 접촉이 개방된 상태라면, 하악 전치부로 향하는 힘은 사라진다고 한다. ICP에서 이악물기를 하는 환자는 교근의 심층에서 통증 또는 압통(tender)을 느끼게 된다. 교근 심층의 역할은 측두하악관절 내에서 과두의 위치를 조절하고, 과두를 고정하는 역할을 한다. 그러므로 환자는 교근의 천층에서처럼 통증을 자주 경험하지 않는다.

이악물기 습관의 결과로, 촉진 시 측두근의 한 개 또는 3개의 모든 belly에서 압통을 느낄 수 있다. 측두근의 anterior belly에서의 통증을 흔히 눈 뒤쪽이 아프다고 기술한다. 측두근의 전이통은 역시 상악 치아에서 느껴지고, 드문 경우에 하악 치아가 아프다고 하기도 한다. 전이의 일반적인 양상은 그림 3에 있다.

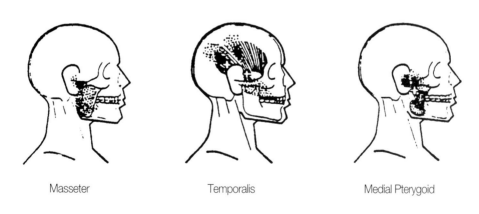

Masseter　　　Temporalis　　　Medial Pterygoid

그림 22-3

필자의 경험으로는 환자들의 관자놀이(측두근의 전방, 중앙, 후방 섬유) 부위의 통증의 60%는 목 부위에서부터 전이되어 온다고 한다(그림 4).

그러므로 안면의 근육을 촉진하기 전에 경부의 근육을 먼저 촉진하는 것이 중요하다. 경부 근육을 촉진 시 압통을 느낀다면, 다른 안면근육에 대해 생각하기 전에 trapezius, sternocleidomastoid, 그리고 posterior cervical musculature에 vapocoolant spray를 이용하여 분사신장요법(stretch and spray technique)을 시행한다.[20] 환자에게 안면부의 통증이 10%, 50%, 90% 감소했냐고 물어보기 전에 30~60

초를 기다린다. 안면부의 통증이 경부 근육의 분사신장요법에 의하여 뚜렷하게 감소하였다면, 이는 주요 문제점이 경부 근육에 있고, 교합관과 관련된 문제가 아니라는 것이다. 경부에서부터 오는 통증을 고려하지 않고, 처음부터 교합적인 문제에 초점을 맞추는 치과의사들은 그들의 교합적 치료가 환자의 안면부 통증에 거의 효과가 없음을 알게 될 것이다. 만약 통증의 원인이 안면부(측두하악관절, 또는 안면 근육)라고 결정되면, 철저한 치과적 검사가 필요하다. 정확한 인상을 채득하고, 안궁 이전과 중심위를 채득하여 교합기에 모델을 장착한다. 모델을 검사하여 이상기능 습관의 결과인 마모면 여부를 조사한다.

이갈이(bruxism)

이갈이(bruxism)는 '치아를 비기능적으로 가는 것'으로 정의하며, 치아의 불수의적이며, 율동적, 경련성 이상기능적 이갈이, 이악물기는 하악의 씹는 운동과는 달리 교합성 외상을 유발할 수 있다.[30]

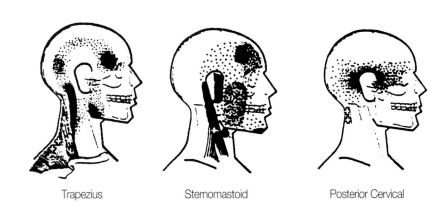

Trapezius   Sternomastoid   Posterior Cervical

그림 22-4

이갈이는 힘의 다양한 강도와 빈도로 측방, 전방, 후방에서 발생한다. 이러한 이상기능 습관은 상위 중추와 중앙 중추 신경계의 조절을 받고, 폐구 시 치아의 접촉을 조절하는 말초신경계의 조절은 받지 않는 것으로 알려져 있다. 수면 동안 이갈이를 하는 환자는 깨어있는 동안에 존재하는 반사 기구 (reflex mechanism) 또는 반사 조절(reflex control)에 의해 보호되지 않으며, 바로 이러한 이유 때문에 이갈이 동안의 치열에 가장 심한 손상을 입히는 것은 수면 중의 이갈이이다.

Okeson, Rugh 등은 수면장애 클리닉에서 환자들을 조사하여 이갈이와 이악물기는 REM 수면기와 수면의 2단계에서 주로 관찰되고, NREM 수면기에서도 나타난다고 보고하였다. 수면 중의 이악물기는 보통 4~8초간의 지속적인 치아 접촉으로 나타나고, 이갈이는 한번에 10~20초 동안 나타나며, 심지어 더 길게도 나타나기도 한다.

이갈이 습관과 마모된 치열은 중년 또는 노년층에만 제한되지 않는다. 심한 교모는 역시 유치열과 혼합치열기를 가지는 아동층에서도 나타난다.[31] 이러한 아동들에서는 이갈이가 치아 마모의 주요 원인인 것 같다. 이상기능의 결과로 심한 치아 마모 후에 치아를 상실하였다면, 이는 수복하는 방법에도 영향을 미치게 된다. 일반적으로 이갈이와 이악물기가 있는 환자에게 임플란트는 적응증이 되지 않는다. 비록 총의치를 장착하는 환자의 저작력이 유치열을 가진 사람의 1/4 정도이긴 하지만, 환자가 이상기능을 하면, 지지조직은 cancellous ridges의 역부하(adverse loading)에 시달리게 된다.[32] 그러므로 치료를 시작하기 전, 진단 과정 초기에 이러한 이상기능의 존재 여부를 확인하는 것이 매우 중요하다.

최근의 이갈이 진단은 간단하다. 왜냐하면 접촉 치아면이 반짝거리며, 정상적으로는 둥근 형태의 치아면이 마모되어 평편하고 날카롭기 때문이다. 이렇게 마모된 표면들은 마치 퍼즐 조각과 같이 서로 잘 들어맞아 'key-in-lock' 이라고 표현된다. 만약 환자가 더 이상 이갈이를 하지 않는다면, 치아의 절단면과 교합면은 둥글고 광택이 있는 마무리로 될 것이다. 이갈이는 편심위에서 치아가 마모되는 주요한 요인이다. 대부분의 이갈이 환자들은 하악을 edge-to-edge position으로 이동시키는데, 일부는 이 위치를 넘어서 더 측방으로 이동시키기도 한다. Spear는 이러한 환자들을 'cross over bruxers' 또는 'grazers' 라고 하였다. 필자는 이러한 cross-over bruxers는 보통 과운동관절(관절 이완성)을 가지고 있는 것을 보았고, hypermobile joints(과운동 관절)를 가지고 있는 환자들은 측두하악관절의 관절 원판 장애가 생길 위험이 높다는 것을 알았다.[33,34,35]

이갈이 환자의 중요한 2가지 문제점은 치아의 마모와 전방유도의 점진적인 상실이다. 전방유도의 점진적 상실로 인하여 작업측의 치아 접촉은 점점 비작업측의 치아 접촉을 동반하게 된다. 작업측과 비작업측의 치아 접촉이 동시에 이루어지는 것이 총의치를 장착하고 있는 환자에게는 장점이 될 수 있지만, 자연치열을 가지고 있는 환자에게는 받아들일 수 없는 것이다. 이 부분에 있어서 예외적인 경우는 관절 원판의 공간이 최소로 작아진 환자이거나, 비작업측 측두하악관절에서 뼈와 뼈의 접촉이 이루어지는 환자이다. 이러한 측두 하악관절에서는, 균형측에서의 치아접촉이 측두하악관절을 보호하는 역할을 하게 된다. 만약 균형측의 치아 접촉을 제거하게 되면, 측방운동 시의 부하(loads)를 균형측 측두하악 관절부가 지지하게 되고, 일반적으로 통증이 유발될 것이다.

대부분의 경우에서, 균형측의 치아 접촉을 제거해서는 안 된다.

치과의사들은 균형측 치아 접촉을 제거해야 한다고 배웠기 때문에 계속 이 접촉을 제거한다. 필자는 균형측의 접촉점을 제거하기 전에 작업측의 견치를 조심스럽게 검사해야 한다고 제안한다.

만약 작업측 견치의 설측과 설측-절단측 마모가 명확하다면, 균형측 접촉을 제거하기 전에 작업측 견치의 설측과 설측-절단측 마모를 정상적인 형태로 먼저 수복해주어야 한다.

견치를 수복하고, 환자에게 수복한 견치 방향으로 측방운동을 하라고 지시한 뒤에도 균형측의 치아 접촉이 존재한다면, 이를 제거해야 한다. 그렇지만, 이러한 환자의 80~90%는 균형측 치아 접촉을 제거할 필요가 없다. 실제로, 작업측 견치의 마모가 문제인 경우에 왜 균형측 제2대구치의 치아 구조물을 제거해야 할까. 대부분의 치과의사는 견치에 위치시킨 수복물이 탈락하지 않을까 생각한다. 전반적인 전방유도의 관점에서 볼 때, 만약 수복물을 조심스럽게 위치시켰다면, 견치의 수복물이 탈락될 가능성은 희박하다.

필자는 시술이 용이하다는 장점 때문에 콤포짓 레진을 추천한다. 새로운 표면 형태는 고유수용기(proprioception)를 변화시킬 뿐만 아니라, 새로운 형태를 받아들일 수 있도록 새로운 기억(engram)을 만들 것이며, 환자는 여기에 빨리 적응한다. 필자는 환자가 새로운 형태의 견치에 적응하게 되면, 대개 영구적인 설측 pin-ledge inlay로 대체한다.

요약하면, 작업측의 치아 마모로 인한 균형측의 치아 접촉을 제거하지 말라는 것이다. 우선 마모된 작업측 견치의 형태를 복원하라. 치아의 마모가 발생할 수 있는 3개의 주요 부위를 지적하는 것이 이 시점에서 중요하다.

치아의 마모는 보통 다음의 부위에서 발생한다.
1. 환자가 폐구 시 처음 접촉하는 치아면(악궁간 처음 접촉이 생기는 부위로 보통 구치부에서 한 개 또는 그 이상 나타남)
2. 처음 접촉에서부터 활주의 끝(이러한 마모는 흔히 상악 전치의 설측면과 하악 절치의 절단면에서 관찰됨)
3. 지속적인 이상기능 평면은 흔히 전방과 측방 이갈이의 양상으로 인하여 상악 전치와 견치의 설측과 절단, 하악절치와 견치의 절단면에서 볼 수 있다. 마모가 구치부의 교합면에서도 관찰될 것이다.

정상적인 치아 마모는 언제 병적인 치아 마모로 되는가?

고려해야 하는 요소들로는 환자의 연령, 건강 상태, 이상기능 습관의 존재 여부, 대합되는 교합면에 사용된 재료의 종류 등이다. 교합면 마모의 정도는 일반적으로 나이에 의존하며, 어느 정도의 마모는 성인이 되면 나타나게 된다. 만약 환자가 이갈이나 이악물기 같은 이상 기능 습관이 있다면, 중등도에서 심한 치아 마모가 동반될 것이다. 환자의 일반적 건강 상태는 약물과 신경학적 활동 장애가 관련된다면 중요한 인자가 된다. 소아마비, 파킨슨 증후군, 추외체로 장애(extrapyramidal disorder)를 가진 환자들은 하악운동을 조절하지 못하여 보통 심한 이갈이를 보인다. Anti-emetics(compazine), phenothiazines, 그리고 phenergan과 같은 decongestant 등의 약물은 운동이상증(dyskinesias)과 이갈이를 유발한다고 알려져 있다.[36]

물을 때(biting)와 씹을 때(chewing) 얼마나 많은 힘이 가해지는 가?[19,20,21,32]

- 자연치의 전치 : 85~90lbs.
- 자연치의 구치 : 150lbs.
- 자연치의 가능한 힘 : 975lbs(Gibbs와 Lundeen 참조)
- 총의치 : 24~48lbs
- Overdenture : 24~70lbs
- 씹는 힘 : 58lbs. 씹을 때 가해지는 힘
- 삼킬 때 생기는 힘 : 68lbs 삼킬 때 가해지는 힘

참고문헌

1. Christensen, G. et al. CRA Report, Oct., 1997.

2. Glossary of Prosthodontic Terms, 6th Ed. 1994. C.V.Mosby.

3. Wyngaarden, JB, Cecil Textbook of Medicine, P. 668, 1985.

4. Wyngaarden, JB, Cecil Textbook of Medicine, P. 668, 1985.

5. Kaidonis, JA, Oral Rehab, 1993, Vol 20, pp. 333-340.

6. Maron, FS, JADA, vol. 127, June, 1996.

7. Hastings, JH, Pract. Perio and Esthetic Dent, 8; 8; Nov/Dec, 1996.

8. GPT-6, 1994.

9. GPT-6, 1994.

10. Heyman, HO, et al, Examining Tooth Flexure Effects on Cervical Restorations: A two-year study, JADA, vol. 122, May, 1991.

11. GPT-6, 1994.

12. Kaidonis, JA, J. Oral Rehab, 1993, vol. 20.

13. Brace, LC, Symposium, Biology of Occlusal Development, Moyes and McNamara, ed.

14. Johansson, A, etal, J. Oral Rehab, 1993, vol. 20.

15. Chapman, RJ, Nathanson, D, Composites and Natural Dentition, JADA, 1983; 106:51-3.

16. Monasky, GE, Taylor, DF, Wear of Porcelain, Enamel and Gold, JPD, 1971;25:299-306.

17. DeLong, R, etal, Wear of Porcelain In The Mouth, Dent Mater, 1986; 2:214-9.

18. Ratledge, DK, etal, Effects of Restorative Materials on the Wear of Enamel, Guys Dental School, London.

19. Gibbs, CH, Lundeen, HC, 1982, Jaw Movements and Forces During Chewing and Swallowing, in Advances in Occlusion,(Lundeen and Giibbs, Eds).

20. Gibbs, CH, Messerman, T, Reswick, JB, etal, Functional Vovements of the Mandible, JPD, 26, 1971; 604-620.

21. Gibbs, CH, Wickwire, NA, Jacobson, AD, etal, 1982, Comparison of Typical Chewing Patterns in Normal Chidren and Adults, JADA, 1105;33-42, 1982.

22. Palla, S, Reuniao de Brasiliera de Fisiopathologia Cranio-Oro-Cervical, Brazil, Aug, 1998. Conference on TMD Disorders and Neurophysiology of Masticatory Function, DeLaat, Palla, Wilkenson, Tanaka.

23. Celenza, F, JPD, 1973.

24. Tanaka, TT, Personal communication, 1964, 1981.

25. Palla, S, Reuniao de Brasiliera de Fisiopathologia Cranio-Oro-Cervical, Brazil, Aug, 1998.

26. Klinebnerg, I, Occlusion: Principles and Assessment, Butterworth Heinemann, Ltd., 1991.

27. Okeson, J, Management of Temporomandibular Disorders and Occlusion, 4th Ed. 1998.

28. Wilkenson, T., Reuniao de Brasiliera de Fisiopathologia Cranio-Oro-Cervical, Brazil, Aug, 1998.

29. Travell, JG, Simons, DG, Myofascial Pain and Dysfunction: The Trigger Point Manual, Vol. 1, The Upper Extremities, Baltimore, 1983, Williams and Williams.

30. GPT-6, 1994.

31. Cash, RG, Bruxism in Children: Review of the Literature; J Pedo-dontics, Vol.12:107;1988.

32. Michael, CG, Javid, NS, Colaizzi, FA, Gibbs, CH, Biting Strength and Chewing Forces in Complete Denture Wearers, JPD, 5:90;vol. 63; no.5.

33. Westling, L, Craniomandibular Disorders and General Joint Mobility, Acta Odontol Scand, 47, 1989.

34. Harinstein, D, etal, Systemic Joint Laxity (The Hyper-mobile Joint Syndrome), is Associated with TMD, J. Arthritis and Rheumatism, vol. 31, no. 10, Oct, 1988.

35. Chun, DS, Koskinen-Moffitt, L., Distress, Jaw Habits and Connective Tissue Laxity As Predisposing Factors to TMJ Sounds in Adolescents, J. Craniomandibular Disorders Facial Oral Pain, 1990;4:165-171.

36. Bell, WE, Tardive Dyskinesia, Orofacial Pains, 3rd Ed., p. 378.

Chapter 23

The Two-Step Occlusion과
the rule of Thirds

여러 가지 형태의 치아 마모를 밝혀내고 정의하는 것이 중요한 일이지만, 정의를 내리는 것만으로는 실질적인 치료계획을 세우려는 수복 치과의사에게는 그다지 큰 도움이 되지 않는다.

마모된 치아를 수복하고 보철 처치를 시작하기 전에 몇 가지 알아두어야 할 중요한 사항들이 있다. 첫째로, 치아가 왜 현재의 상태로 되었는지에 대하여 이해해야 한다. 치아 마모를 일으킨 원인이 무엇인가? 어느 치아가 마모되었는가? 일부 혹은 모든 치아가 수복을 필요로 하는가? 마지막으로, 현존하는 치아의 마모가 의사가 환자를 위해 수복 재료를 선택하는데 어떠한 영향을 미치는가?

우선 한 부위의 치아 마모가 다른 부위의 기능에 어떠한 영향을 미치는지 함께 생각해 보자. 이 장에서는 전치부 치아 마모에 대하여 토론을 시작해 볼 것이다.

전치부 마모

전치부 치아가 마모되는 데는 여러 가지 이유가 있다. 상악 절치의 설측면 마모의 원인은 절단연에서 보여지는 것과는 다를 수 있다. 치아가 "왜?" 마모되었는가를 이해하게 되면 임상가는 각각의 환자에게 적절한 교합 양식뿐만 아니라, 적절한 재료 선택에서도 많은 도움이 될 것이다.

많은 증례에서 상악 절치의 절단연이 마모된 경우, 그 환자는 깊은 vertical overlap(overbite)를 가지고 있다(그림 23-1b). 이러한 마모는 환자의 전방과 전측방 이상기능 운동의 결과이다. 절단연의 마모는 하악 절치에서도 관찰된다. 환자가 전방으로 이상기능 운동을 가지고 있을 때, 상악 절치와 하악 절치 중에서 하악 절치의 마모가 상악 절치의 마모보다 거의 2배 가량 더 크다(그림 23-1c). 이것은 하악이 전방으로 움직일 때, 하악 절치는 상악 절치의 설측면에 접촉되고 있기 때문이다.

Overbite가 크고, 최소의 overjet을 가진 환자에서는 심하게 패이고 마모된 상악 절치의 설측면을 볼 수 있다. 정상적인 기능운동의 결과로서도 확연한 마모를 관찰할 수 있다. 환자가 확연히 전방으로 이상기능 운동을 한다면, 상악 절치는 설측면과 절단연에, 하악 절치는 순측면과 절단연의 마모를 나타낸다(그림 23-2b). 마모가 계속됨에 따라서, 하악 절치는 매우 작아지게 될 것이고, 상악 절치 역시 작아지게 된다. 상악 절치는 보통 전후방의 spee 만곡이 정상적으로 될 때까지 마모가 계속된다(그림

23-2c).

이 시점에서 전치의 마모는 느려지게 되는데, 그 이유는 전방위 상태에서도 구치부의 접촉이 시작되기 때문이다. 이러한 형태의 마모를 인식하는 것이 중요한데, 그 이유는 치료가 시작되기 전에 'rule of thirds' 를 적용해야 하기 때문이다.

a. 정상   b. 절단부만 마모   c. 절단부 및 설측 마모, 2:1 lower

그림 23-1

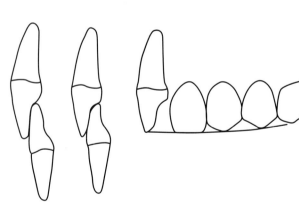

a. 정상 Spee 만곡   b, c. Incisal wear with

그림 23-2

대부분의 치과의사들은 상악 전치의 절단연의 1/4에서 1/3이 마모된 환자들을 보고, 수직 고경이 감소되었다고 가정한다(그림 23-3a, b). 그렇지만, 구치부의 교합면을 자세히 조사해 보면 구치부는 마모가 매우 미약하거나 없다(그림 23-3c).

상악 전치의 설측면에 과도한 마모가 있는 환자 중에서는 부적절한 구치부의 vertical stops, 즉 구치부 치아의 상실이나 부적절한 지지교두를 가진 환자들도 있다(그림 23-4). 폐구 시 교합면 접촉이 미끄러지게 되어 하악이 전방으로 미끄러지면, 상악 전치의 설측면이 마모된다.

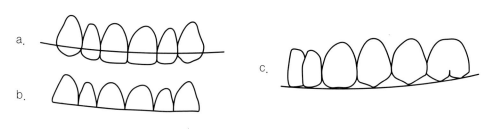

그림 23-3

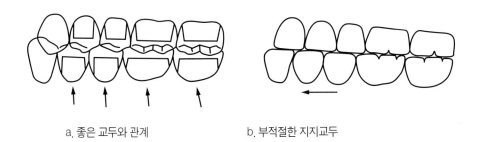

a. 좋은 교두와 관계   b. 부적절한 지지교두

그림 23-4

또한 절단연의 과도한 마모는 교정치료가 끝난 지 몇 년이 지난 환자에게도 발견된다. 만약 상악 전치부의 vertical overlap을 최소한으로 한 상태에서 치료가 끝나고, 환자가 전방으로 이상기능 운동을 지속하게 되면, 상·하악 절치의 절단연은 급속도로 마모될 것이다. 만약 아동기에 6세 구치를 이상기능 운동에 의해 교두가 마모되어 편평해진다면, 이 대구치들이 부적절한 후방부 지지교두의 역할을 하게 되는 것이다.

이러한 환자들을 보면, 하악의 위치가 쉽게 전방으로 위치되고, 결국은 가상적 절단부 관계를 초래하게 된다. 만약 하악이 더 성장할 가능성이 있는 경우라면 이러한 관계는 더 많은 문제를 야기하게 된다. 이러한 환자들의 대부분은 교정적으로 좋은 치아 배열을 이루고 있지만, 6세 구치를 편평하게 만든 이상기능 운동 때문에 부적절한 vertical stops(holding cusps)을 가지고 있다. 이러한 문제를 인식하고, 금 합금이나 다른 적당한 재료로 6세 구치에 적절한 교두의 높이와 와의 깊이를 수복할 것을 추천하는 것은 수복의사와 교정의사의 책임이다. 수복치료를 할 치과의사가 주의해야 할 점은 이 어린이는 이상기능 운동 습관을 가지고 있고, 이미 6세 구치의 교합면이 마모되었다는 것이다. 도재로 교합면을 수복하는 것은 단지 반대악에 있는 자연치열의 마모만을 초래하게 될 것이며, 이상기능 습관을 가지고 있는 환자에게 콤퍼짓 레진은 적절한 재료가 아니다.

The Two-Step Occlusioin

상·하악 전치들이 현저하게 마모된 환자들은 종종 필자에 의해 기술된 'two-step occlusion'이라 불리는 교합 양식을 나타내기 시작했다. Two-step occlusion은 치아의 맹출순서 상의 문제점 혹은 비정상적 혀 습관에 의한 결과라고 할 수 있다. 이러한 환자들은 상악 전치들이 정상적인 교합평면을 넘어서 과도하게 아래로 맹출된 양상을 보여준다. 그들의 교합양상을 시상면 상으로 보면, 전방에서 소구치 부위에서 후방을 향하여 계단 형태의 모양을 나타낸다(그림 23-5a). 하악의 전치도 비슷한 계단 형태를 띤다. 그러나 전치들은 소구치나 대구치보다 훨씬 더 높은 위치에 있다(그림 23-5b). 하악 전치의 절단연은 종종 상악 전치의 설측의 연조직을 꽉 누르는 것이 관찰된다. 이러한 환자들이 전방으로 이상기능 운동을 하게 되면, 상악 전치의 설면과 하악 전치의 절단연이 마모된다. 만약 그 이상기능 운동이 계속되게 되면, 상악 전치들은 결국 마모되어, 측면에서 보았을 때 계단 모양은 더 이상 보이지 않고, 정상적인 Spee 만곡이 될 때까지 마모되게 된다.

문제는 대부분의 치과의사들이 전치들이 마모되기 전에 two-step occlusion이었다는 것을 모른다는 것이다. 그 결과, 치과의사들은 상악 전치와 때때로 하악 전치를 본래의 길이대로 수복하여 모든 문제점들이 다시 시작한다는 것이다. 대부분의 증례에서, 치과의사들은 치아의 길이를 회복시켜 주기 위해 치아 색조의 재료나 laminate veneer로 수복해 왔다. 환자가 이상기능 운동을 계속할 때, 결과는 명확하게 laminates와 부착된 재료가 마모되기 시작하고 급속하게 파절되어 가는데, 때때로 수 개월 내에 이루어지기도 한다. 이제는 잘못을 지적하고, 재료가 잘못된 것인지, 아니면 접착 재료의 사용이 부적절했는지에 관하여 토론을 할 때이다.

치과의사가 전치부에 마모가 있는 환자를 치료할 때 몇 가지 중요한 요소를 고려해야 한다. 첫째로, 치아가 마모되기 전에 환자의 교합 형태는 어떠했는가? 치아가 마모된 원인은 무엇인가? 환자가 여전히 이상기능 운동 습관을 가지고 있는가? 마지막으로 상순과 하순에 비교하여 상악 전치 절단연의 위치는 어디인가?

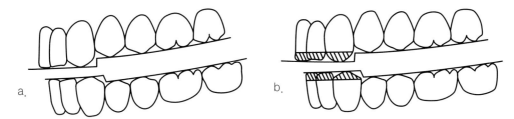

그림 23-5

마지막 질문은 언제나 기꺼이 자신의 지식을 공유하고, 젊은 치과의사들의 호기심 어린 질문에 귀를 기울였던 좋은 지도자이자 친구인 Dr. Peter K. Thomas가 1965년 필자에게 가르쳐 주었던 일련의 기준들과 관련된 부분이다.

Dr. Thomas는 'rule of thires' 라는 상악전치 절단연의 길이를 결정하는 단순한 일련의 기준들을 가르쳤다. 그러나 Dr. Thomas의 rule of thrids는 전치부에만 한정된 것이고, 필자가 전후방 관계에 대한 것을 추가하였다. 이러한 기준들은 35년이 넘게 필자의 강의와 waxing course에서 교육되어 왔고, 마모된 치열을 수복하는 훌륭한 실질적 기준이다.

The rule of thirds

'Rule of thirds' 는 마모된 전치를 어떻게 수복하는지를 결정하는데 쓰이는 단순한 공식이다. 치과의사는 환자가 'eee' 라고 발음할 때, 상순과 하순 사이에서 상대적으로 상악 전치의 절단연의 위치를 결정해야 한다. 이 위치를 'eee line' 이라고 하고, 상순과 하순 사이의 공간을 세 부분으로 나눈다. 환자에게 'eee' 를 발음하게 하고, 이 때 치과의사는 상악 전치 절단연의 위치를 어디로 할지를 관찰하고 결정해야만 한다. 상악 절치 절단연의 위치는 열려 있는 공간의 상, 중, 하부 중 어디인가(그림 23-6)?

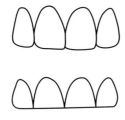

1. Upper third
2. Middle third
3. Lower third

그림 23-6. 마모된 치열

1. 상 1/3

환자가 'eee' 라고 말하고, 상악 전치 절단연이 upper third에서 보일 때, 상악 절치의 길이를 증가시키기 위해 1.0~1.5㎜를 늘릴 수 있다. 만약 절치의 crown의 길이가 여전히 짧다면, 정상적인 상악 절치의 길이를 부여하기 위하여 임상적 치관 연장술이 추천될 수 있다(그림 23-7). 절단연에 1.5㎜를 더 길게 하는 것은 본래의 문제점이었던 'two step occlusion' 을 재발시킬 수도 있다.

만약 수직적 교합 고경을 증가시킬 예정이라면, 2.0㎜까지는 절단연 길이에 추가할 수도 있다. 이러한 숫자들은 단지 기준이며, 이후에 기술할 다른 인자들에 의해서 달라질 수 있다. 그러므로 모델 상에서 wax를 추가하여 절단연 길이를 결정하고, Spee 만곡을 평가하는 것이 중요하다(전후방 관계).

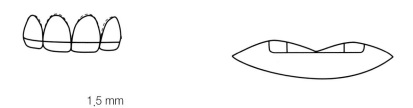

1.5 mm

그림 23-7. Upper third

2. 중 1/3

만약 환자가 'eee' 라고 발음하고, 상악 전치 절단연이 중앙 1/3에서 보인다면, 상악절치 절단연을 길게 하기 위해 1.0㎜를 더 추가할 수 있다. 만약 절치의 치관의 길이가 여전히 짧다면, 정상적인 상악 절치의 길이를 부여하기 위하여 임상적 치관 연장술이 추천될 수 있다. 1.0㎜ 이상 길게 하는 것은 middle third에서는 추천되지 않는다. 상악전치 절단연에 wax를 추가하고, Spee 만곡을 재평가하라.

1.0 mm

그림 23-8. Middle third

3. 하 1/3

환자가 'eee' 라고 발음하고 상악 절치 절단연이 하부 1/3에서 관찰된다면, 상악 전치 절단연에 길이 증가를 위해 추가해서는 안 된다. 만약 절치의 치관의 길이가 여전히 짧다면, 정상적인 상악 절치의 길이를 부여하기 위하여 임상적 치관 연장술이 추천될 수 있다. 절단연에 길이를 증가시키는 것은 추천되지 않는다. 만약 절단연에 치아 색조의 재료로 길이를 증가시킨다면, 환자는 치아가 너무 길어졌다는 것을 느끼고, 말할 때나 안정 상태에서 상악전치 절단연이 하순을 건드린다고 불평할 것이다. 이러한 환자들은 보통 'gummy smile' 이고, 치관 연장술은 이들의 외모를 증진시켜 줄 것이다.

'Rule of thirds' 는 보철 의사가 전치부가 마모된 환자를 수복하는데 있어서 실질적이고 유용한 기준이지만, two step occlusion을 가진 환자를 위한 치료의 선택은 교정 치료이다. 만약 환자가 교정치료를 거부한다면, 위의 치료기준들은 유용할 것이다.

Do not add to incisal
unless opening the OVD

그림 23-9. Lower third

'Rule of thirds' 는 상악 전치부에 있어 적절한 재료를 선택하는 데에도 유용하게 사용될 수 있다. 수복 옵션에는 all ceramic, all porcelain, PFG, bonded composites, bonded resins, 그리고 다른 혼합재료 등이다.

수직 교합 고경과 Spee 만곡

다음의 과정은 수직 교합 고경과 spee 만곡을 결정하는 것이다. 상·하악 전치의 마모가 단지 정상적인 spee 만곡 수준까지만 마모된 경우라면, 단순히 전치부의 수복만으로도 충분하다. 만약 구치부가 적절한 지지교두를 가지고 있지 않다면(편평한 교합면 형태), 구치부는 전치부와 함께 수복되어야 한다. 그러나 만약 구치부가 현저하게 마모되었다면, 수직 교합 고경을 증가시켜야 한다.

Chapter 24

교합과 중심위의 원칙

교합의 역사

수 세기 동안 치과 교합은 고고학자와 인류학자들에게 주요 관심사였다. 인간의 치열, 그 연결, 그리고 다양한 형태의 치아 마모는 유인원(hominid)이 날고기를 먹고 살았는지, 혹은 뿌리와 잎을 먹고 사는 채식가였는지를 식별하는데 도움을 주었다. 심지어 3만 8천 년 전에 살았던 그 유명한 'Lucy'의 발견에서도 인간의 진화의 단계에서 Lucy의 단계가 어느 위치인지 규명하기 위해서는 치과 교합과 관절에 대한 과학적인 조사가 필요했다. Lucy의 치아는 상·하악의 틀 안에서 4각형의 배열을 이루고 있었고, 큰 견치와 절치가 특징적이었다(침팬지보다는 작고, 현재 인간보다는 큼). Lucy의 치아 모양, 크기, 배열은 유인원에서 인간과 유사한 해부학적 형태로 진화하고 있나는 부분을 강조하는 데 있어 주요한 부분이었다. 교합이라는 학문을 설명하는데 있어 '진화'라는 말보다 더 적절한 말은 없을 것이다. 심지어 현재 치의학에서 이해하고 있는 치아의 접촉과 저작기능도 인류학적 교합학에서 현재의 치과 교합학으로 진화된 산물이다.

치의학의 초기 개척자들은 교합을 연구할 때 손으로 조작한 모형을 이용하였다. 후에 기술적인 발전이 이루어지기 전 플라스터 석판 교합기에 장착한 모형은 더욱 복잡한 기구들로 발전시키는 계기가 되었다. 초기의 교합연구는 자연치열을 가지고 있는 환자보다는 무치악 환자에서 어떻게 치아를 교합시킬 것인가에 대한 답을 얻는 방향으로 이루어졌다. 이러한 연구는 정상적인 씹는 운동 시 의치에 안정감(stability)을 주는 교합을 제공하기 위하여 필요하였다.

이러한 부분에 가장 잘 알려진 개념은 '양측성 균형 교합'으로 Bonwill과 Schuyler에 의해 제창된 것이다.[1,2] 이 개념은 오늘날의 보철학에서도 여전히 이용되는 개념이다. 무치악 환자를 상대로 한 이 개념의 성공으로 인하여 McCollum과 Schuyler는 이 개념을 자연치열 환자에게도 적용하였다.[3,4] 그렇지만 양측성 균형 교합이 자연치열에 적용되게 되면, 이상기능 운동 습관을 가진 환자의 구치부에 과도하고 유해한 힘이 적용된다는 것이 밝혀졌고, 결국은 버려지게 되었다. 결국 자연치열에 대한 양측성 균형 교합은 오늘날 일부 붕괴된 치열을 수복하는데 이용되는 편측성 균형 교합으로 바뀌게 되었다. 편측성 균형 교합은 환자가 하악을 측방으로 움직일 때(대개 견치와 소구치), 작업측에서 여러 개의 치아 접촉이 생기는 교합이다.

손상된 교합을 가지고 있는 환자의 예

1. 한 방향의 측방으로만 이갈이를 하고, 좌측 견치를 single implant crown으로 수복한 환자 : 상악 측절치와 소구치가 견치와 함께 측방력을 분산시키는 편측성 균형 교합이 견치 보호 교합보다 더 바람직하다.
2. 이갈이가 매우 심하고, 상악 좌측 견치의 마모가 심한 환자 : 왼쪽을 수복치료할 때, 측방 이개 시 받는 힘을 견치에 집중시키는 것보다, 측절치와 소구치, 견치와 함께 분산시키는 편측성 균형 교합이 더 바람직하다.

진화는 계속되고, 치과 교합의 이론은 견치 유도 혹은 견치 보호 교합으로 진화되어, 오늘 날 치과대학에서 가르치고 있는 원칙적인 교합이론이다.

1930년대, McCollum은 과두가 최후방에 위치하는 것이 가장 최적의 기능을 할 수 있는 위치라고 주장하였다(이 부분은 중심위 부위에서 자세히 논의할 것임).[5]

'최후방 위치' 는 McCollum과 Beyron에 의해서 계속 연구되었는데, 이들은 양쪽 과두를 관통하는 하악축 또는 횡수평축을 보여주었다. 이 축은 후에 'the hinge axis(접번축)' 이라고 불렸다. 그러나 이 축을 이용하는 것은 매우 복잡한 기구들이 필요하다. (교합기) '완전 조절성 교합기' 는 이러한 하악운동을 복제하였고, 이러한 학파를 'Gnathology' 라고 하였다.

Gnathology라는 용어는 캘리포니아의 샌디에고의 Dr. Harvey Stallard가 만들었는데, 다음과 같이 정의된다.

저작계를 총괄하여 치료하는 과학으로, 여기에는 악골, 저작계, 치아의 형태학, 해부학, 생리학, 병리학, 치료학이 포함되며, 전체적인 신체의 건강과 관련됨으로써, 적용 가능한 진단적, 치료적, 그리고 수복 시술도 포함된다.[6]

이러한 시술들을 수행하기 위해서, 치과의사들은 하악의 기능적 운동을 복제할 수 있는 다양한 기구들을 개발하는 많은 시도들을 했다. 완전 조절성 교합기와 graphic tracing device에 관하여 McCollum의 기구인 최초의 완전 조절성 교합기와 pantograph인 'Gnathoscope' 를 완성해야만 하는 것이 요구되었다. 오랜 동안 McCollum의 제자였던 Stuart는 1930년대 중반에 자신만의 완전 조절성 교합기를 개발하였다. 이에 약간 수정을 가한 듯한 'Stuart 기구' 가 오늘날에도 사용되고 있다.

필자는 여전히 1935년에 만들어진 Stuart 기구 #4를 사용하고 있다. Stallard, Thomas, Stuart에 의해 가르쳐진 교합 이론들이 바람직하고, 현대 교합 수복에 있어 기초를 제공하였다 할지라도, gnathology는 과학처럼 철저한 숭배로 남아있다. Stuart는 치과의사들에게 "구강은 더 이상 치열의 수복에 있어서 좋은 교합기가 아니며, 오직 나의 Stuart 기구면 충분하다" 는 말을 했다.[7,8]

Stallard, Stuart, Thomas는 '견치 유도' 혹은 '견치 보호' 라 불리는 혁신적인 수복 개념을 포함하여

gnathology 운동의 옹호자들이었다. 필자는 Dr. Stallard와 Thomas와 함께 Gnathology의 역사에 대하여 토론할 여러 기회들이 있었다. 두 사람 모두 얼마나 많은 시간 동안, 치과의사들이 자연치열의 수복을 양측성 균형 교합으로 해 왔고, 일부의 경우에 있어서 견치유도가 되지 않아 실패하는 것을 단지 지켜보아야 했는지에 대하여 이야기했다. 그들은 이상기능 운동을 갖고 있는 환자들은 최후방 구치에 심한 교합면 마모를 보인다고 했다. 이러한 마모로 인하여 환자가 측방으로 이상기능 운동을 함에 따라 더 큰 힘이 전방에 위치한 치아보다 후방에 있는 구치부에 가해진다고 하였다. 결국 이 치아들은 흔들리게 되고, 심한 골 상실을 초래하게 되는 것을 볼 수 있다고 하였다.

그들은 자연치열의 환자들이 무치악 환자들에 비해 정상적 기능과 이상기능 운동 동안에 구치부에 더 큰 힘을 가할 수 있다고 결론을 내렸다. 그들은 자연치열 환자들의 구치부에 가해지는 측방력을 감소시켜 주기 위해서는 전방과 측방 운동 시에 상·하악 견치를 이용하여 후방 구치부를 이개시켜 주어야 한다고 제안하였다. Payne, Lauritzen, D'Amico 등은 이 시기에 비슷한 결론을 내렸고, 견치 유도 교합은 미국 서부 해안 쪽에서 인기를 얻게 되었다.

Dr. Everett Payne는 처음으로 'cusp-fossa' 개념을 소개하고, wax를 떨어뜨려 cone을 새우는 방법을 이용하여 강의하였다. Cusp-fossa의 교합 개념은 상악의 소구치와 대구치의 기능 교두인 설측 교두가 대합하는 하악 치아의 변연 융선(marginal ridge)에 놓이는 대신 fossa(와)에 놓여야 한다고 강조하였다. 이 개념은 원래 교합 수복 시술을 위해 고안되었다. Stallard는 이 이론을 지지했는데, 그는 구치부 수복에 있어서 견치 유도 교합과 cusp fossa 개념을 결합한 'organic occlusioin'을 처음으로 기술한 연구자이다. 견치 유도 교합과 cusp-fossa posterior occlusion이 보편적으로 널리 받아들여지게 된 것은 다음의 네 사람의 노력의 결과이다 : Cusp-fossa 개념을 만든 Dr. Everett Payne, 해부학과 하악의 운동을 이해할 수 있게 노력한 Dr. Harvey Stallard, 기구를 제공한 Dr. Charles Stuart, 예술적인 치과적 능력을 보여준 Dr. Peter K. Thomas

Dr. Thomas는 이 개념을 엄격하게 임상적으로 적용하여 수백 명의 환자를 수복하였다. 견치 유도 교합은 유일한 것이었다. 왜냐하면 그 당시에는 여전히 양측성 균형 교합을 사용하거나, L.D. Pankey와 Arvin Mann이 개발한 'functionally generated path of occlusion'을 사용하였기 때문이다. Functionally generated path는 반대악의 치아나 교합제에 부착하고 있는 플라스틱이나 다른 매개체에 반대악의 치아나 교합제의 교합면 운동을 인기하는 방법이다.[9] 기능운동 술식의 개념은 결국 견치 유도를 이용하는 하나의 술식으로 변화하게 되었다.

처음에 organic occlusion의 개념을 따르는 사람들이 거의 없었는데, 그 이유는 복잡하고 많은 술식과 고가의 기구들이 요구되었기 때문이다. Organic occlusion의 개념을 적용하기 위해서 치과의사들은 다음과 같은 사항들을 시행해야 했다.

1. 양쪽 과두에 접번축점을 위치시켜야 한다.
2. Pantograph에 환자의 하악운동을 graphic analog tracing해야 했다.

3. 상악에 대한 하악의 폐구로(closing arc)를 그려야 했다. 이 점을 중심위(centric relation)라고 불렀다(초기의 하악의 위치는 과두의 후방 위치를 말하는 것임).

3세대로 독창적인 연구자들과 임상가들이 '사용자에게 더 친근한' 기구를 개발하였다 : Denar(Guichet), Panadent(Lee), SAM(Slavicek), 그리고 Dawson은 수복치료를 하는 의사들을 위하여 이러한 술식들을 간소화했다. 흥미로운 점은 위에서 언급한 기구들이 고정된 과두간 거리로 110㎜, 평균 progressive side shift로 7~10°, 그리고 평균 eminentia 각을 30~36°로 사용한다는 것이다. 이러한 3세대 기구들은 환자의 모형을 안궁(facebow)을 이용하여 교합기에 장착해야 한다. 안궁은 임의 과두 회전축 또는 점을 이용하여 상악모형의 관계를 교합기에 전달하도록 해주는 역할을 한다. 가능하고 필요하면, '중심위 채득' 라고 부르는 상·하악 관계를 채득하여 상악모형에 하악모형을 장착해야 한다.

중심위(Centric relation) : Definition

중심위는 보철학 용어 풀이집에 다음과 같이 정의되어 있다.

과두가 관절결절(articular eminences)의 형태에 대하여 전 상방에 위치한 복합체로, 가장 얇고 무혈관성인 각각의 관절원판으로 접번되는 상하악의 관계이다.[10]

필자는 위의 중심위에 대한 정의가 정확한 반면, 임상가들에게 실질적인 도움이 되지 않는다고 생각한다. 중심위에 대한 정의에 다음의 사항들이 더 추가되어야 한다.
1. 과두의 위치는 와(fossa) 내에서 전 상방에 위치한 상대의 교합면 접촉 위치이며, 여기서부터 기능 운동이 시작할 수 있다.
2. 이 위치는 해부학적이고, 근신경학적 위치이다.
3. '인대위(ligamentous position)' 라고 불려 왔는데, 그 이유는 하악으로 하여금 후방의 기능 범위를 제공하기 때문이다.
4. 중심위는 범위를 가지고 있는 점이며, 나이에 따라서 변한다.

관절원판의 위치에 대한 GPT-6(보철학 용어 풀이집)에는 아무런 언급이 없다. 이 부분이 만약 증상이 없는 사람들 중에서 관절원판의 15~25%는 부분적 혹은 완전히 전위되어 있다는 이유를 포함하였다면, 훌륭한 용어풀이가 되었을 것이다.[11,12]

Terminology

Centric이란?

일반적으로 임상가들이 중심위와 혼동되는 다른 용어들에 대하여 이해하는 것은 중요하다. 치과의사가 단순히 모형을 "centric(중심) 으로 장착하였다"고 말하는 것은 적절하지 않다. 왜냐하면 중심위와 비슷하고, 비슷하지 않은 다른 용어들이 있기 때문이다.

Centric Releation(CR)은 다음의 단어와 비슷한 용어이다.

1. Retruded contact position(RCP, 후퇴접촉위)
2. Terminal hinge position이나 hinge position(종말 접번위)
3. Muscularly stable position(근안정위)

중심위는 하악을 물리적인 수조작에 의해 처음으로 획득한 위치이다. 그러나 필자는 일단 중심위를 획득하게 되면, provisionals 혹은 splints를 사용하는데 있어서 어려움 없이 이 위치에서 기능할 수 있을 것이라고 밝혀왔다. 하악을 수조작하는 주요한 방법은 다음과 같다.

1. Chin-point guidance
2. Chin-Point guidance with mandibular support
3. Bi-manual manipulation

Simon's과 Nicholls는 위의 기술들로 얻어진 중심위 위치 사이에서 단지 0.3mm의 치아가 있었다고 보고했다.[13] 여기서 중요한 부분은 수동유도방법은 하악이 과두를 폐구위로 회전하기 전에 관절와 내의 전상방 부위로 위치시키도록 고안되었다는 것이다. 적절한 위치로 과두를 위치시키게 되면 임상가들은 반복적으로 중심위에 하악을 위치시킬 수 있게 된다.

필자의 경험에 비추어 볼 때 환자들은 쉽게 중심위로 폐구하도록 훈련될 수 있고, 이 위치에서부터 쉽게 기능할 수 있게 된다. 그래서 필자는 중심위 위치를 기능적 한계 위치라고 한다. 일부 환자들이 조작된 측방한계 위치를 중심위 위치로 하면 혼란이 일으키게 된다. 많은 연구들에 의하면, 환자들은 하악의 기능 운동 동안에는 조작된 측방한계 위치로 움직이지 않는다고 하였다. 필자 역시 치과의사들이 joint laxity 또는 측두하악관절 병변의 병력이 있는 환자에게 이러한 측방한계 운동을 유도하는 조작을 하지 않았을 것이라 믿는다. 왜냐하면, 측두하악관절 구조가 손상받을 가능성이 있기 때문이다. 이와 같은 이유에서 chin-point guidance를 이용하여 중심위를 채득할 때에도 후방으로 과도한 힘이 주어지지 않도록 주의해야만 한다.

Centric Occlusion(CO)

치아가 최대 교두 감압된 상태의 상·하악 관계이며, CR의 점과는 다른 위치이다.

Centric occlusion은 다음의 용어들과 비슷한 말이다.

1. Intercuspal position(ICP)
2. Maximum intercuspation
3. Acquired centric
4. Habitual centric

위의 4개의 위치 모두 환자에게 편하고 단순하게 치아를 물어보라고 하거나, "딱, 딱, 딱 해보세요" 라고 요구하면 얻어진다. 이 위치는 교합접촉, 자세, 그리고 근 균형에 의해서 영향을 받는다. 중심교합은 중심위와 같은 위치일 수도 있고, 또는 중심위보다 0.2~3.0㎜ 전방에 위치하거나, 중심위보다 전측방에 위치하기도 한다. 이러한 중심위에서 중심교합으로의 위치의 차이를 중심위에서 중심교합으로의 'slide' 라고 한다.

Power Centric

환자가 가장 단단한 것을 씹는 부위의 점이다(다른 중심위에서처럼 반드시 같을 필요는 없음).[14]

Long Centric

중심위 전방으로 0.5㎜ 전방 지점이다(또는 0.2~0.3㎜). 왜냐하면, 이 지점에서 가장 강한 힘으로 씹을 수 있기 때문이다.[15,16]

Myocentric

이 점은 하악이 안정위에 있을 때, 이어지는 경련성 근육 수축에 의해 마이오센트릭 근 균형 궤도(myocentric muscle balanced trajectory)를 따라 교합간 공간을 통과하며, 하악을 거상시키는 공간상의 종점(terminal)이라고 정의하고 있다.[17,18] Myocentric position은 다양할 수 있고, 개인에 따라서 ICP로부터 1.0~3.0㎜ 전방에 위치하게 된다.

Centric Relation– Centric Occlusion Controversies

치과의사들 사이에서 이들 두 점들이 각각의 중요성을 가지면서 존재한다는 부분에 대해서 보편적인 동의를 보여주고 있다. 그러나 두 점이 어떻게 관련이 있는가에 대하여 토론을 하면 논쟁은 시작된다. 일부에서는 자연치열과 무치악 상태의 치열 모두 중심위로 위치시키거나 치아를 접촉시킬 때 이 위치로 서로 맞춰 주어야 한다고 강력히 주장한다. 또 다른 이들은 같은 이치로 치아는 중심 교합에서 접촉해야 한다고 주장한다. 다음 단락에서 중심위와 중심교합이 문헌상에서 어떻게 기술되고 있는지 그리고, 임상적 중요성에 대하여 보여 줄 것이다.

중심위와 중심교합은 환자에게서 어떤 비율로 나타나는가?

증상이 없거나 있는 사람들 모두에서 중심위와 중심교합이 일치하는 경우는 거의 드물다. CR=CO 인 경우는 인구의 거의 3~4% 정도이다. 그럼므로 CR에서 CO로의 'slide' 는 전 인구의 96~99%에서 나타난다. Posselt는 CR에서 CO로의 slide가 1.0㎜인 경우가 전 인구의 90%라고 말하였다.[19] 일단 이 통계 수치를 고려한다면, 왜 많은 이들이 중심위가 필요하지 않다고 하는지를 쉽게 이해할 수 있다. 이러한 교합을 극단적으로 단순화한 문제점은 그러한 문제점의 모든 부분들에 대하여 고려하지 않았다는 것이다. 그렇다면 언제, 그리고 왜 중심위가 필요한지 생각해 보아야만 한다.

왜 중심위가 중요한가?

우선 왜 중심위가 중요한지 생각해 보자. 우선적으로 단지 치아가 어느 점에서 서로 접촉하고 있다고 해서 이 점이 안정된 점이라는 것을 의미하지 않는다는 것을 이해해야 한다.

다음의 예들이 이러한 부분을 보여 줄 것이다. 만약 하악 제1대구치를 발치하고, 보철치료를 하지 않았다면, 제2대구치는 전방으로 이동하여 근심으로 기울 것이다. 상악의 제1대구치도 대개 교합평면을 넘어서 빈 공간으로 내려올 것이고, 환자에게는 폐구 시 편향된 접촉이 생길 것이다. 이러한 편향된 접촉으로 인하여 폐구 시 하악을 정상적인 중심 교합에 대하여 2㎜까지, 혹은 그 이상 측방 또는 전방으로 비안정적인 위치로 폐구하게 된다. 그러나 이 지점이 치아의 최대 교두감압위(CO)이고, 치아들이 모두 접촉하고 있다면, 치과의사는 이 상태에서 보철치료를 해도 된다고 생각할 수 있다. 근심으로 기울어진 대구치들, 과잉 맹출된 상악 대구치들, 치아의 동요도, 개방된 접촉들은 치과의사들에게 후방교합위축(posterior bite collapse)으로 진단하도록 도와줄 것이다.

기억해야 할 점은 편향된 접촉점들이 저작계가 적응할 수 있는 범위 내에 있다고 한다면, 환자들은 임상적인 증상을 경험하지 않는다는 것이다. CR에서 CO로의 slides를 유발하는 다른 문제점들로는 영구치의 지연된 맹출, 또는 부적절한 맹출 순서이다. 혀 습관들, 측방과 전방으로 혀내밀기, 그리고 부적절한 연하 형태들로 인하여 종종 교합양식이 바뀌게 된다. 그럼므로 수복치료를 하는 치과의사들이 상·하악 치아들이 서로 잘 맞물려 있거나, 혹은 어느 한 점에서 교합되고 있다고 해서, 이것이 반드시 교합이 안정적이다 혹은 불안정적이라는 것을 의미하지 않는다는 사실을 이해해야 한다.

Okeson은 교합접촉이 결국 과두가 관절 와의 어디에 위치하는가를 결정한다고 언급하였다.[20] 안정적인 교합간 관계는 측두 하악 관절의 안정성을 위해서 중요하다. 필자는 인구의 95~98%가 slide 혹은 중심위에서 중심교합 사이에 불일치가 존재한다고 말해왔다. 폐구 시 편향된 교합 접촉은 하악을 측방의 불특정 부위로 위치시키기 때문에, 수복치료를 하는 치과의사는 우선적으로 안정적인 기준점인 중심위로 위치시킨 뒤, CO가 CR로부터 어느 정도 위치하는지를 결정해야 한다. CR-CO slide가 전방에서 발생하는지 아니면 전측방에서 발생하는지를 알아두는 것이 중요하다. 전측방으로 slide가 있다는 것은 직선의 전방 slide보다 근육과 관절 장애의 빈도가 더 빈번하다는 것을 의미해 왔다. 다음 과정은 CO가 CR과 충분히 가까워 환자가 slide를 적응할 수 있느냐 없느냐를 결정하는 것이다.

과도한 마모, 치아의 동요도, 혹은, 근육 과/혹은 관절 증상들이 존재하고, 임상가가 이러한 임상적인 증상들이 연관된다고 생각되면, 중심위에서 안정적인 상·하악 관계를 확립할지의 여부를 심각하게 고려해야 한다. 또한 측두하악관절의 이상과 내장증도 역시 교합의 변화를 유발한다는 점도 잊어서는 안 된다.

치과의사는 어느 정도의 비율로 수복치료 시 중심위에서 치료를 해야 할까?

필자는 보통의 수복치료에서, 거의 70% 정도의 환자는 중심 교합에서 치료를 한다고 보고하였다. 그러나 약 30% 정도의 환자에서는 크라운 또는 브리지를 장착하기 위해서 작업측과 균형측의 접촉들을 제거하는 대합하는 교두의 교합조정이 요구된다. 이러한 대부분의 작은 조절들은 접착과정 때 함께 아무런 진료비도 내지 않고 이루어지고 있다. 30%의 환자 중에서 일부는 스플린트 치료, 완전한 교합조정, 또는 더욱 광범위한 수복치료가 필요하다. 수복치료를 하는 치과의사들이 믿을 수 있고, 안정적이며, 반복 재현될 수 있는 위치에서 치료를 해야 하는 이유들은 다음의 경우이다.

1. 교합 수직 고경을 증가시키는 경우
    a. 스플린트 치료 시술도 포함된다.
2. 광범위한 수복 및 보철 치료를 시행할 때

누구나 아무런 안정적인 기준점 없이 28개의 치아를 수복할 때 경험할 수 있는 좌절감을 상상할 수 있을 것이다. 중심위가 명백히 중요하지 않다고 말하는 사람은 누구라도 수복치료를 수행하지 못한다. 중심위치는 안정적이어야 한다. 혹은 치과의사가 그 위치를 찾는 데에는 불안정한 근육과 관절에 좌우된다. 중요한 점은 이러한 치료의 전, 중, 후에서 모두 근육과 관절이 안정되어야 하는 것이다.

만약 근육과 관절의 안정성이 확보되지 않았다면, 수복치료를 하는 치과의사는 스플린트 치료를 시작해야 한다. 스플린트는 가능한 한 중심위에서 제작되어야 하는데, 그 이유는 스플린트가 수직 교합고경을 증가시킨 위치에서 제작되기 때문이다. 상·하악 접촉을 안정시키기는 스플린트의 사용은 완전한 교합수복 시술과 대등하다. 교합 스플린트를 만드는데 적용되는 원칙들은 환자의 완전 교합 수복 시에서와 동일하다.

수복치료를 하는 치과의사나 통증 전문의들은 최대 교두갑암위(CO) 혹은 위에서 언급된 다른 중심위에서 제작해야 한다는 것을 기억해야 한다. 대합하는 자연치에 대한 교합접촉의 고유수용기

(proprioception)의 변화는 거상근(elevator muscles)을 안정(relaxation)을 유도하기에 충분하며, 편안감을 주게 된다.

이러한 편안함은 영구적이지 않다. Rugh는 이갈이 환자들의 연구에서 갑작스런 교합의 변화는 관련된 근육부에 일시적인 편안함을 준다고 하였다. 그렇지만, 환자들은 48~72시간 후에 다시 이갈이를 한다. 필자는 이상기능 운동 습관을 보이는 환자의 약 80%는 중심위에서 제작한 스플린트를 장착한 후에 장기간의 근육과 관절의 증상이 감소되는 것을 경험할 것이라고 말해 왔다. 거의 대부분의 환자들이 초기에는 스플린트 치료 후에 불편감이 감소하는 것을 느끼게 될 것이다. 그렇지만, 흥미로운 점은 이러한 불편함의 안정을 경험했던 환자 중 15~20%는 다시 이상기능 운동을 시작한다는 것이다. 이러한 일부의 환자들은 심지어 스플린트를 중심위로 조정해도 다시 불편함을 느끼게 되었다.

스플린트는 치아 접촉을 현저하게 변화시키기 때문에 효과적인 것 같다. 이러한 변화가 일어나면, 치주인대에 있는 감각 신경 섬유는 brain stem에 있는 central pattern generator로 그 변화에 대해 신호를 보내고, 근육은 이완된다(감소된 근활도, EMG 활성). 이러한 반응을 일으키기 위해 반드시 중심위에서 스플린트를 제작할 필요는 없다. 필자가 중심위에서 스플린트를 제작하는 이유는 전방 유도와 함께 폐구 시 반복재형성이 있는 위치를 확립하는데 있다. 필자는 수복 치과의사가 치열의 최종 수복을 하기 전에 스플린트로 중심위에서 기능 운동을 하도록 훈련시키는 것이 바람직하다고 말해왔다. 그러니 환자기 상악에 대한 하악의 정확한 폐구점(definitive point of closure)을 확립해야 한다(중심위).

중심위는 스플린트를 제작하는데 있어서 중요하지 않다는 말은 때때로 맞기도 하다. 중심 위치가 초기의 증상의 완화시키는 데에서는 중요하지 않다. 치주인대 내의 감각 신경섬유가 brain stem에 있는 central pattern generator에게 접촉 양상이 바뀌었다고 신호를 전달한다. Central pattern generator의 반응은 대합치와 접촉을 피하고, 폐구근을 이완시킨다.

필자는 "교합은 중요하지 않다"는 말을 들으면 화가 난다. 이에 대한 답변으로 필자는 이렇게 말한다.

"맞습니다. 치아(교합)를 수복할 필요가 없는 사람에게는 중요하지 않습니다. 그러나 치아를 수복해야 하는 환자와 수복 치과의사에게 교합은 확실히 가장 중요합니다."

Centric Relation Records

안정적이고, 재현 가능한 상·하악의 기준점에 대한 필요성은 일찍이 1908년 Gysi에 의하여 인식되어 왔다. 그는 gothic arch tracing device의 개발로 명예를 얻었다. 이 장치는 상·하악 총의치의 치아 배열을 위해 사용된 기구이다. 임상가들은 다른 술식들도 반복적인 폐구위치를 만드는 데 도움이 된다는 것을 인식하고 있었다. 그러한 술식들 중에서 오늘 날에도 여전히 사용되고 있는 것으로는, 하악을 폐구 시에 경구개에 대하여 위치시키는 법과 '폐구 후 연하법' 이다. 이러한 술식들 모두 임상적으로 성공적인 결과를 보여 주었고, 주로 총의치 보철 제작 시 이용된다.

물리적인 수동유도법(physical manipulation)은 우선 자연치열을 가진 환자의 중심위를 결정하는 것이 요구된다. Ash는 유도되지 않은 폐구에 의해서는 중심위가 결정될 수 없다고 말하였지만,[21] 필자는 환자는 중심위에서 폐구하는 것을 훈련받을 수 있고, 그 이후로 환자는 어려움 없이 그 위치로 반복적으로 폐구할 수 있다는 사실을 주목해 왔다.

만약 환자가 물리적으로 유도된, 중심위에서 적절하게 개구와 폐구하는 것을 교육받는다면, 환자들은 스플린트, 새로 제작된 임시치아, 또는 고정성 보철물, 혹은 가철성 보철물 상에서 이 중심위를 폐구하고 기능운동을 할 수 있다.

필자는 34년 넘게 gnathology학파의 수복 방법에 맞추어 임상적인 진료를 해 왔고, 중심위를 기준으로 해서 450명의 환자를 전악 수복해 주었다. 이들 중 수 백 명의 환자들은 중심 교합 상에서 작은 부분의 치료를 시행하였는데, 그 이유는 그들은 자신의 중심교합에 잘 적응하고 있었고, 치아 마모나 치아 동요 같은 임상적인 증상이 없었기 때문이다. 주목해야 할 점은 중심교합으로 치료를 받은 환자들은 치아 마모나 동요도의 비정상적인 증상을 보이지 않았고, 그 이전에도 근육과 측두하악관절에 대한 이상 증상을 나타내지 않았다는 점이다.

중심위를 채득하는 데 추천되어 온 3개의 주요 술식들은 중심위로 위치시키기 위해 유도된 폐구 또는 하악의 수동유도법이 필요하다. 이러한 술식들은 다음과 같다.

1. Stuart에 의해 축적된 Chin-point guidance
2. P.K. Thomas에 의해 제안된 하악 지지에 의한 Chin-point guidance
3. Peter Dawson에 의해 제안된 하악의 Bimanual-manipulation

비록 각각의 술식들에 대해 열렬한 추종자들이 있지만, 임상적인 차이는 거의 없는 것 같다.[22,23,24,25]

필자는 Peter K. Thomas chin-point guidance 술식을 20년 넘게 사용했다. 그러나 1984년까지 일부 환자들이 최후방 구치의 과도한 마모가 발생했다고 다시 내원하였다. 중심위를 채득할 때, 과두가 적절하게 위치되지 않았을 가능성에 대하여 고려해 보았다. Dr. Peter Dawson과 이러한 부분들에 대하여 토론한 뒤, chin-point guidance 술식과 bimanual manipulation 술식을 비교하여 여러 번 모델 mounting을 반복하였다. Bimanual manipulation은 여러 가지 중요한 장점들을 가지고 있었다.

1. 측두하악관절의 상태를 결정하기 위해서 중심위를 채득하기 전에 하중을 가하는 시험을 할 수 있다.
2. Chin-point guidance방법을 사용했을 때보다 과두를 더 전 상방으로 위치시킨다.

1985년 이후 필자는 모든 중심위 채득과 측두하악관절 치료에 있어서 bimanual manipulation 술식을 사용하였고, 모든 치과의사들에게 이 방법을 강력하게 추천한다. 필자는 1985년 이후로 필자가 10~13년 follow-up한 수복환자들의 결과들을 가지고 있다. 이들 환자 중에서 2% 미만은 지금 이전 환자들에서 보였던 마모의 양상이 나타난다.

관절 하중 시험의 중요성은 측두하악관절 구조물들의 상태를 결정하는데 있다. 관절원판이 변위되고, 환자가 통증과 관절 기능 장애를 가지고 있다면, 환자는 양손으로 측두하악 관절에 압력을 가했을 때 통증을 느낄 것이다. 치과의사에게 흥미로운 점은 측두하악 관절에 통증을 느낀다고 말하는 환자 중 80%는 실제로는 어느 형태의 근육통을 느낀다는 것이다. 또 다른 고려해야 하는 중요한 인자로는 Hobo에 의한 연구인데, 과두와 관절와 사이에 0.1~0.3㎜의 압축될 수 있는 '완충 공간'이 존재한다는 것이다.

이 부분은 치주인대와 측두하악관절 모두 치아가 접촉한 후에 어느 정도의 수직운동을 허용한다는 것을 나타낸다. 임상가들이 위에 언급한 방법으로 중심위를 채득하지만, 모든 임상 술식에서와 같이 술자의 경험과 기술이 가장 중요한 인자인 것 같다.

이상적인 과두 위치가 존재할까?

올바른 치과용 tomographic 술이 유용해지기 전인 1960년대에 Weinberg 등은 관절와 내에 과두의 이상적인 위치가 있을 것이라고 믿었다. 그들은 측두하악관절을 촬영하기 위해 head positioners를 개발하였고, 관절와의 중앙에 과두를 위치시키고, 그 위치에서 치아를 수복하려고 하였다. 그러나 치과 촬영 기술의 발달로 연구자들은 방사선 사진을 기초로 하여 이상적인 과두의 위치를 지지할 만한 과학적인 증거가 없다는 것을 알았다.

초기에 고려되지 않았던 또 다른 중요한 인자는 나이가 듦에 따라 측두하악관절이 재형성된다는 것이다. 관절원판 공간은 감소되고, 과두와 과절면의 형태는 기능하고 있는 씹기 기전의 변화하는 필요들을 충족시키기 위해서 재형성된다. 그러므로 측두하악 관절의 이러한 변화들은 교합면 접촉을 반영한다고 말할 수 있다.

중심위의 위치도 변할 수 있을까?

환자의 일생에 걸쳐서 측두하악관절의 형태와 힘을 받는 특성이 변화된다면, 시간이 지남에 따라서 교합도 변화될 것이다. 다행히도 그 변화는 아주 천천히 일어날 것이고, 관절 구조물과 교합 접촉은 변화에 맞추어 적응해갈 것이다.

따라서 치과의사는 중심위가 환자의 나이에 따라서, 그리고 기능적인 부하에 따라서 변한다는 점을 이해해야 한다.

이러한 정보가 1965년 일찍이 치과의사들의 관심을 가져왔지만,[26] gnathologists는 이 사실들을 간과하고, 미래의 참고로 사용될 접번축과 전방 참고점(orbital pointer reference point)을 계속 사용하였다. 필자는 1962년 Stuart가 고안한 이 점을 여전히 지지한다. Stuart는 측두하악관절이 재형성되고, 중심위가 변한다는 것을 결코 인정하지 않았다.

Celenza, Harvold, 그리고 필자의 연구에 비추어 advanced occlusal rehabilitation에 관심이 있는 치과의사들에게 당부할 중요한 점들이 있다.

1. 중심위는 일정 범위 안에 있는 점이다.
2. 이 점은 확실히 변한다.
3. 비록 이 점이 변하더라도, 점진적으로 일어나는 변화라면, 환자는 그 변화를 느끼지 못할 것이다.
4. 중심위가 관절 재형성으로 인하여 변하고, CR에서 CO로의 slide가 발생하게 되더라도, 대개 교합조정은 필요하지 않다.

CR과 CO가 일치하는 경우는 어느 정도일까?

Posselt는 1952년 흥미로운 논문을 발표하면서, CR과 CO가 같은 위치인 경우는 10% 미만이라고 했다.[27] 필자는 이 수치가 예외적으로 높다고 생각한다. 그리고 그 수치는 2 또는 3%에 가깝다고 생각한다. 필자는 치과의사가 반드시 기억해야 하는 점은 CR에서 CO로의 slide는 환자가 이를 한 상태로 지내는 것만큼 결코 중요하지 않다는 것이다. Slide의 길이와는 상관없이 만약 환자가 이상기능 운동을 하지 않는다면, 거의 어떠한 통증과 기능이상을 경험하지 않을 것이다. 한계점에 관한 질문들은 똑같이 흥미롭다.

중심위는 기능적인 한계위치(border position)인가?

이 질문에 관해서는 "예"와 "아니오"라는 답변을 모두 지지할 수 있는 증거들이 있다. 이 부분은 최근에 논쟁의 대상이 되는 분야라고 말한다면 적절할 것이다. 필자는 양쪽 모두 확신적이고, 감탄할 만한 주장들을 해오는 것을 보았다. 공평하게 각각의 입장에 대해서 나타내보면, 다음과 같다.

· YES : 중심위에서 치아를 서로 폐구하게 하고, 씹고, 삼킨다면, CR은 사실상 한세 위치이나. Celenza의 이 부분에 대한 논문은 가장 간결하고, 확신적이다.[28,29,30,31]

· NO : Pameijer 등은 환자가 어떻게 저작하는지, 어떤 교합접촉 양식이 씹는 운동과 관련이 있는지에 대하여 흥미로운 점들을 보여 주었다. 그들의 연구에 의하면, 환자는 기능운동과 저작하는 동안 중심위를 생각하지 않는다고 한다.[32,33,34,35]
폐구, 개구, 저작 형태를 관찰하기 전에 환자를 중심위로 유도한 연구의 결과를 보는 것은 흥미로울 것이다.

이러한 하악의 운동들을 기록하는데 사용하는 기구들을 pantographs라고 한다. 치과의사들에게 가장 친숙한 기록하는 기구들은 graphic tracing devices로 알려져 있는데, 여기에서 하악의 운동들이 안면 외측에 위치하는 tracing plates에 기록된다. 오래된 Stuart와 Denar pantographs가 이런 종류의 기구들이다. Schuchard 등은 하악 운동들을 pneumatic servo-control systems으로 기록하였다. Robert Lee는 1964년과 1965년 pantography에서 획기적인 발전을 가져왔다. 그 때 그는 아크릴릭의 딱딱한 블록에 하악운동을 기록하기 위해 pantograph에 붙은 고속 핸드피스를 사용하여 milling하였다. 그 결과는 오늘날 교합기의 fossae로 사용되고 있는 주조된 analogs이다(Panadent, Denar). 유명한 Panadent pantograph와 교합기 시스템은 Lee의 연구 노력의 산물이다.

필자는 1967년 Dr. Lee가 환자가 하악을 왼쪽에서 오른쪽으로 움직이고, 저작운동을 할 때, acrylic blocks을 깎는(milling) 것을 보여줄 때, 그를 만났다. 필자는 그 환자가 기능 운동을 하는 동안 아무런 노력 없이 중심위로 도달했던 것으로 기억한다. 또한 그 환자는 다른 한계운동으로 도달하지 못했던 것으로 기억한다.

교합장애가 이갈이를 유발할 수 있는가?

교합장애를 논의하기 전에 우선 교합장애가 무엇이고, 조기접촉이 무엇인지 정의를 내릴 필요가 있다.

교합장애란 정상적인 하악의 폐구와 기능을 방해하는 교합 접촉을 말한다. 이것은 환자가 적응할 수 없는 교합 접촉을 말한다.

조기접촉이란 적절한 교합 접촉위로(RCP or ICP) 도달하는 것을 미리 멈추게 하는 치아 접촉이다.[36] 이는 환자가 적응할 수 있는 교합접촉을 말한다.

다음의 정의들을 잘 읽어보고, 주의 깊게 질문을 생각해 보라.

1. CR에서 CO로의 Slide는 어디에 쪽에 속하는가?
2. CR에서 CO slide는 교합장애인가 아니면, 최종 교합 위치로의 조기 접촉으로서의 slide인가?

CR에서 CO의 slide는 만약 환자가 스스로 느낄 수 있고, 새로운 치아 접촉에 적응할 수 없는 양식의 slide라면 교합장애라고 생각해야 한다. 그렇게 되면 환자는 대부분 근육통이나 관절 이상을 느끼게 될 것이다. 반면에 CR에서 CO로의 slide가 미약하다면, 환자는 거의 아무 증상 없이 새로운 치아 접촉에 적응할 것이다.

다음의 서로 상충되는 연구들은 "교합장애가 이갈이를 유발할 수 있는가?"에 대한 설명이 될 수 있는 좋은 예이다. 첫 번째 Magnusson과 Enbom의 연구에서[37] 이갈이의 기왕력이 없는 환자에게 균형측의 치아 접촉을 추가하였다. 그 후 새로운 치아 접촉이 생긴 방향으로 이상기능 운동을 하기 시작하였다. Rugh, Barghi, Dragoo에 의한 두 번째 연구[38]에서는 대구치에 교합이 높은 금관을 장착하였다. 그 결과, 처음에는 높아진 부위로 저작하는 것을 피하려 하였고, 그래서 근 활성도가 낮아졌다. 그 다음 높아진 금관에도 불구하고 다시 정상적 기능상태로 회복되었다. 필자는 교합장애와 CR에서 CO slides가 환자로 하여금 이갈이를 하게 한다는 부분에 대해서 충분한 증거가 있다고 생각하지 않는다.

· YES : Magnusson, T, Enbom, L.[39]
· NO : Rugh JD, Barghi N, Drago, CJ.[40]

요약

현재의 교합 이론은 그 이론이 제안되었던 시기에 정당하다고 여겨지는 교합 개념들의 긴 역사의 산물들이며, 계속적으로 진화하고 있다. 비록 이러한 대부분의 원칙들이 정당하다고 하더라도, 시간과 과학은 사려 깊게 고려해야 할 새로운 정보들을 제공해 왔다. '새로운 과학'은 때때로 치과의사를 불편하게 만드는 가능성을 제공하기도 한다. 왜냐하면 그러한 가능성은 치과의사가 이전에 배워왔던 지식에 도전하기 때문이다.

이러한 불편함은 새로운 생각들이 치과의사 자신의 과거의 지식이란 'filters'를 지나쳐 가는 것을 보기 때문에 일어난다. 그러므로 필자는 이러한 여과기를 현명하게 사용하고, 예전의 독단적 원칙으로부터 타당한 새로운 생각들을 분리하기 위해서 새로운 과학에 질문을 던지는 것은 모든 치과의사들의 책임이라는 것을 느낀다.

참고문헌

1. Schuyler, CH: Principles employed in full denture prosthesis which may be applied to other fields of dentistry, JADA 16; 2045, 1929.
2. McCollum BB: Fundamentals involved in prescribing restorative dental remedies. Dent Items of Interest, 61:522,641,724,852,942,1939.
3. Schuyler, CH: JADA 16;2045,1929.
4. McCollum BB: 61:522,641,724,852,942,1939.
5. McColluum BB: 61:522,641,724,852,942,1939.
6. Glossary of Prosthodontic Terms, 6th ed. 1994.
7. Stuart C., Personal communication, 1962.
8. Lindblom G., Bite analysis and its significance in moderm odontology, Odontol Tidskr; 77;63, 1969.
9. Glossary of prosthodontic terms, 6th edition, 1994, C.V. Mosby.
10. Glossary of prosthodontic terms, 6th edition, 1994, C.V. Mosby.
11. Schwaighofer and Tanaka, "Temporomandibular joint: comparison of magnetic resonance imaging to cryosectional anatomy." Journal of Roemtgenology, 1990.
12. Katzberg RW, Westesson PL, et al, Temporomandibular joint: MR assessment of rotational and sideways disc displacements. Radiology, Vol. 169, iss.3(1988 Dec):741-8.

13. Simon R, Nicholl J J Prosthh Dent July, 1980.

14. Ash, MA, Ramfjord, SP, Occlusion, 4th ed.; Philadelphia; WB Saunders Co, 1995:76;p.25-26,143.

15. Ash, MA, Ramfjord, SP, Occlusion, 4th ed.; Philadelphia; WB Saunders Co, 1995:76.

16. Dawson, PE., Evaluation, Diagnosis and Treatment of Occlusal Problems, Second Edition, P.264-283,C.V.Mosby Co.,1989.

17. Jankelson, B., Dent Clin North Am, 1979:23;p.157-68.

18. Jankelson, BR, Polley, ML, Electromyography in Clinical Dentistry; Seattle: Myotronics Research Inc., 1984:52.

19. Posselt, U., Studies of the mobility of the human mandible. Acta Odont Scand, 10 Suppl 10:1-160, 1952.

20. Okeson, J., Management of Temporomandibular Disorders and Occlusion, Fourth Ed.

21. Ash, MA, Ramfjord, SP, Occlusion, 4th ed, Philadelphia; WB Saunders Co, 1995: 76.

22. Simon, RL, Nicholls, JI, Variability of passively recorded centric relation. J Prosth Dent, 44:1261,1980.

23. Smith, HF, A comparison of empirical centric relation records with location of terminal hinge axis and apex of the gothic arch tracing. J Prosth Dent, 33:511, 1975.

24. Muraoka, K, Iwata, T, A comparative study on manipulation for centric relation. J Gnathology 1:47, 1982.

25. Dawson, PE, A classification system for occlusions, J Prosth Dent, Vol 75, No 1, Jan 1996.

26. Stallard, H., Personal communication.

27. Posselt, U., ACcta Odontol Scand; Suppl 10:1-160, 1953.

28. Celenza, FV, The Centric Position: Replacement and Character. J Prosth Dent 30:591, 1973.

29. Celenza, FV, The condylar position at maximum intercuspation [Discussion] In Celenza, FV, Nasedkin, jn (eds): Occlusion: The State Of The Art. Chicago, Quintessence 1978,p.45.

30. Celenza, FV,: The Theory and Management of Centric Positions I. Centric Occlusion, Int J Periodont Rest Dent 1:9,1984.

31. Celenza, FV, The Theory and Clinical Management fo Centric Positions II. Centric Relation Occlusion. Int J Periodont Rest Dent 6:63, 1984.

32. Alem A, Jaw position during swallowing and the effect upon it (Thesis). Ann Arbor, Univ. Michigan, Sch Dent. 1976.

33. Graf, H, Zander, H, Tooth contact patterns in mastication. J Prosth Dent, 13:13551 1963.

34. Pameijer, J, Brion, M, Glickman, I, et al, Intraoral Telemetry: V. Effect of occlusal adjustment upon tooth contacts during swallowing. J Prosth Dent, 24:396, 1970.

35. Pameijer, J, Brion, M, Glickman, I, et al, Intraoral telemetry, V. Effect of occlusal adjustment upon tooth contacts during chewing and swallowing. J Prosth Dent. 24:492, 1970.

36. Ash, M., Occlusion, Dent Clin North Am.

37. Magnusson, T., Enbom, L.:Signs and symptoms of mandibular dysfunction after introduction of experimental balancing-side interferences. Acta Odontol Scand 42:129;1984.

38. Rugh, JD, Barghi, N., Dargo, CJ: Experimental occlusal discrepancies and nocturnal bruxism. J Prosth

Dent 51:548, 1984.

39. Magnusson, T., Enbom, L.: Signs and symptoms of mandibular dysfunction after introduction of experimental balancing-side interferences. Acta Odontol Scand 42:129;1984.

40. Magnusson, T., Enbom, L.: Signs and symptoms of mandibular dysfunction after introduction of experimental balancing-side interferences. Acta Odontol Scand 42:129;1984.